D0279197

LES PREMIÈRES
CIVILISATIONS

TOME 1
LES ORIGINES DE L'HOMME
LA PRÉHISTOIRE
LE PROCHE-ORIENT ANCIEN
de Michel Guay
est le trois cent soixante-sixième ouvrage
publié chez
VLB ÉDITEUR.

LES PREMIÈRES CIVILISATIONS

TOME 1
LES ORIGINES DE L'HOMME
LA PRÉHISTOIRE
LE PROCHE-ORIENT ANCIEN

du même auteur

LA CIVILISATION CHINOISE. Les Éditions de l'Homme, Mont-réal 1986.

THRAX. L'AVENTURE DES CAVALIERS THRACES. Les Éditions du Jour, Montréal 1987. (Roman historique).

En collaboration avec Jean Bernier (co-auteur), MARCUS, FILS DE LA LOUVE. Collection: "Les aventures de l'histoire", Mont-réal, les Éditions Quinze, 1988. (Roman historique).

En collaboration avec Jean Bernier (co-auteur), SÉNAB, ARCHI-TECTE DU DIEU VIVANT. Collection: "Les aventures de l'his-toire", Montréal, les Éditions Quinze, 1989.

à paraître

LES PREMIÈRES CIVILISATIONS
TOME 2 : Le monde méditerranéen.
        L'Europe des Celtes, des Thraces et des Germains.

TOME 3 : Les sociétés et civilisations d'Amérique, d'Afrique et d'Asie.

Michel Guay

Les premières civilisations

**Tome 1. Les origines de l'Homme
La Préhistoire
Le Proche-Orient ancien**

vlb éditeur

VLB ÉDITEUR
Une division du groupe Ville-Marie Littérature
1010, rue de la Gauchetière Est, Montréal, Québec H2L 2N5
Tél.: (514) 523-1182
Télécopieur: (514) 282-7530

Maquette de la couverture: Mario Leclerc

Illustration de la couverture: Portrait d'une femme égyptienne, tombe de Menna, scribe des champs du pharaon Touthmosis IV (*circa* 1400 avant notre ère)

Conception, montage et réalisation graphique: Michel Guay

DISTRIBUTEURS EXCLUSIFS:

• Pour le Québec, le Canada et les États-Unis:
  LES MESSAGERIES ADP*
  955, rue Amherst, Montréal, Québec H2L 3K4
  Tél.: (514) 523-1182
  Télécopieur: (514) 939-0406
  * Filiale de Sogides ltée

• Pour la Belgique et le Luxembourg:
  PRESSES DE BELGIQUE S.A.
  Boulevard de l'Europe, 117, B-1301 Wavre
  Tél.: (10) 41-59-66
       (10) 41-78-50
  Télécopieur: (10) 41-20-24

• Pour la Suisse:
  TRANSAT S.A.
  Route des Jeunes, 4 Ter, C.P. 125, 1211 Genève 26
  Tél.: (41-22) 342-77-40
  Télécopieur: (41-22) 343-46-46

• Pour la France et les autres pays:
  INTER FORUM
  Immeuble PARYSEINE, 3, allée de la Seine, 94854 IVRY Cedex
  Tél.: (1) 49.59.11.89
  Télécopieur: (1) 49.59.11.96
  Commandes: Tél.: (16) 38.32.71.00
             Télécopieur: (16) 38.32.71.28

© VLB ÉDITEUR et Michel Guay, 1990
Dépôt légal — 3e trimestre 1990
Bibliothèque nationale du Québec
ISBN 2-89005-418-7

À tous mes étudiants qui,
depuis les vingt dernières années,
ont contribué à nourrir
mon enthousiasme pour l'Histoire
et la grande Aventure de l'Homme.

AVANT-PROPOS

Si les débuts de l'Univers remontent à quelque 20 milliards d'années, la formation de la Terre à 4.6 milliards d'années, et les débuts de la vie sur notre planète à environ 400 millions d'années, l'apparition de l'Homme constitue sans contredit un phénomène des plus récents. En effet, nos ancêtres lointains ont commencé à rédiger les premières pages de l'aventure humaine il y a seulement 4 millions d'années, c'est-à-dire dans le dernier 1/50e (ou 2%) de l'histoire totale de notre monde. Si l'on se rapproche du temps présent et que l'on parle des premières civilisations, telle l'Égypte des pharaons (à partir de 3100 avant notre ère), le temps qui nous sépare de Ménès, le légendaire fondateur du système pharaonique, équivaut à .0000155 % du temps global depuis l'hypothétique Big Bang. Ainsi, l'Histoire de l'humanité ne représente-t-elle qu'une toute petite goutte d'eau dans cette mer cosmique qu'est l'évolution de l'Univers, tout en constituant, pour la planète Terre, la plus tardive, mais également la plus extraordinaire de ses réalisations.

À une époque où le présent nous apporte son lot quotidien d'ambiguïté, d'incertitude, voire même d'appréhension quant à notre avenir et à celui de notre planète, un regard sur nos origines peut s'avérer une démarche salutaire. Des milliers de générations d'hommes et de femmes nous ont précédés. Or, ce sont ces gens, leur travail, leur éveil à la Nature, leurs créations multiples (matérielles, intellectuelles et spirituelles) qui nous ont permis d'être ce que nous sommes aujourd'hui. Notre avenir, il est aussi fait de cet héritage durement acquis qu'il nous faut préserver. Entre l'Homme du passé et nous, il existe un lien de solidarité dont nous sommes responsables.

Comme l'écrivait le célèbre préhistorien français, André Leroi-Gourhan,

nous n'osons pas croire que Descartes, Lavoisier et les savants de l'ère atomique doivent quelque chose au pithé-canthrope. Pourtant, il en est ainsi. Si la moindre coupure s'était jamais produite dans la lente acquisition des techniques essentielles, tout aurait été à recommencer. On ne réfléchit pas toujours suffisamment à la continuité du lien qui nous unit à un passé inaccessible. (...) Notre monde classique n'a que quelques milliers d'années, mais pour le préparer, l'homme avait travaillé pendant au moins deux millions d'années[1].

Ce premier tome parlera donc de nous, depuis nos origines africaines jusqu'à la chute des grandes civilisations du Proche-Orient ancien, en passant par la longue période de la Préhistoire. Ce livre sera bientôt suivi de deux autres tomes, l'un touchant le bassin méditerranéen et l'Europe (le monde gréco-romain; les Celtes, les Thraces, les Scythes et les Germains), l'autre abordant les sociétés et les civilisations des Amériques, de l'Afrique et de l'Asie.

À travers les pages qui vont suivre, nous allons parcourir les grands moments significatifs de notre passé dit "antique" ainsi que les grandes réalisations de nos ancêtres qui ont graduellement contribué à façonner, en partie, notre monde actuel. Que ce soit l'outillage et les techniques, l'habitat et l'alimentation, les arts et la pensée, l'organisation sociale et les structures politiques, nous devons beaucoup à ces époques reculées où les groupements humains expérimentaient et inventaient les toutes premières modalités matérielles, intellectuelles et émotives de leur survie. Qui plus est, à la "lecture" des divers documents que ces hommes et ces femmes du passé

---

1. A. Leroi-Gourhan, LES CHASSEURS DE LA PRÉHISTOIRE, A.M. Métaillé, Paris 1983, page 15.

10

nous ont laissés, nous pouvons retrouver les mêmes questionnements et angoisses existentielles qui nous tenaillent encore de nos jours devant la vie, le vieillissement, la mort, la solitude, les forces de la nature... Apprendre à relativiser ces problèmes humains à la lumière du passé ne peut être qu'un gage de sérénité pour le présent, seule attitude possible afin d'inventer, à notre tour, un avenir qui puisse redonner une place convenable à l'Homme sur cette planète.

Michel Guay
Août 1990

1

DE LA PRÉHISTOIRE
À L'HISTOIRE

1. CHRONOLOGIE ET PROCESSUS ÉVOLUTIF

Aborder l'histoire lointaine de nos ancêtres du Paléolithique et du Néolithique implique un certain nombre d'obstacles préalables que peuvent habituellement éviter les amateurs d'histoire plus récente. Parmi ces problèmes, il y a d'abord la question du TEMPS, de cet espace chronologique qui, avec ses centaines de siècles, est souventes fois source de confusion et de désarroi pour les non spécialistes. En effet, la "préhistoire" nous amène à travailler avec des tranches de temps qui marquent la véritable démesure de l'évolution de l'humanité, non pas avec des décennies ni même des siècles, mais avec des millénaires, voire même des centaines de millénaires.

Toute histoire se déroule dans un temps mesurable. Depuis de nombreux siècles, très probablement depuis les anciens Égyptiens, cette mesure du temps a été une préoccupation par laquelle l'homme a tenté de se positionner par rapport aux cycles de la nature (jour/nuit, saisons), au déroulement de sa vie (naissance/vie/mort), ainsi qu'aux événements ponctuant son existence. Les premiers calendriers, basés sur des phénomènes naturels stables et récurrents, tels le mouvement des astres ou la crue annuelle d'un fleuve, en sont d'ailleurs les témoignages les plus explicites[1].

Pendant longtemps, cependant, les hommes se sont contentés de mesurer le *temps court*, le temps à l'échelle humaine. Dans l'Égypte des pharaons, comme d'ailleurs chez les Sumériens ou les Babyloniens de Mésopotamie[2], ou même encore dans la Chine des Shang ou des Zhou[3], ce *temps court* correspondait au règne du chef de l'État en poste, et les événements considérés significatifs étaient classés chronologiquement par rapport au début de son règne. Ainsi, le traité conclu entre l'Égypte de Ramsès II et Hattusilis III, monarque du royaume hittite, n'est pas daté de l'an 1269 avant notre ère, tel que nous le plaçons à l'intérieur de notre propre comput; le texte note plutôt *l'an 21, jour 21 du premier mois de l'hiver, sous la majesté du roi de Haute et de Basse Égypte Ouser-Maat-Rê Setep-en-Rê*[4].

La perception du *temps long*, celui qui embrasse plusieurs siècles ou même plusieurs millénaires, représente une démarche intellectuelle plus récente encore dans l'histoire de l'humanité. Ce n'est, en fait, que depuis 1500 ans environ que l'homme a pris conscience du *temps long* et qu'il s'est doté d'un cadre chronologique pour le mesurer, celui des *ères*. C'est ainsi que notre propre calendrier fonctionne à partir d'un événement marquant, la naissance du Christ. Ce moment historique particulier sert donc de date charnière et subdivise en deux parties le temps long de l'histoire: la pé-

---

1. Le calendrier de 365 jours, inventé par les anciens habitants de la vallée du Nil, remonterait au tout début de l'histoire pharaonique, soit vers 3100 avant notre ère.

2. Aux IIIe et IIe millénaires avant notre ère.

3. Entre les XVIe et IIIe siècles avant notre ère.

4. Le pharaon Ramsès II (1290 - 1224).

riode qui précède et celle qui suit cette naissance de Jésus-Christ. Ce que nous traduirons ici par "avant" et "de notre ère".

Si la structure chronologique mesurant le déroulement de notre ère ne pose plus de problèmes depuis la réforme du calendrier grégorien survenue en 1587, il est intéressant de souligner que la mesure du *temps long* pour la période avant notre ère faisait encore l'objet de grands débats au siècle dernier. C'est avec le développement des sciences de la terre et les découvertes archéologiques démontrant l'ancienneté de l'homme et des civilisations que les questions de chronologie se sont posées avec acuité; à titre d'exemples, soulignons le problème du positionnement chronologique des grands événements géologiques de la terre, celui concernant l'histoire des espèces animales (dont l'Homme) ou encore celui de la définition des divers âges de pierre, dont on commençait alors à exhumer les traces.

Au moment où Charles Lyell publie THE PRINCIPLES OF GEOLOGY (1830), ouvrage qui remettait en question la vision de son temps sur l'histoire de la terre, la religion chrétienne dominait encore totalement les interprétations concernant les origines du monde et de l'Homme. En effet, c'est vers 1650 que le prélat irlandais James Usher avait réussi à calculer la date de la Création; pour ce faire, il avait utilisé les informations généalogiques contenues dans la Bible. Il fixa donc le moment de la Création du monde en 4004 avant notre ère. Plus tard, un certain John Lightfoot raffina les analyses de Usher et conclut que la date en question remontait plus exactement au 23 octobre 4004 avant notre ère. Ainsi, au début du XIXe siècle, il était normalement entendu que l'histoire du monde ne dépassait guère les 6000 ans!

Mais bientôt, ces 6000 ans ne suffirent plus. Devant l'effervescence scientifique du XIXe siècle, il fallut assez rapidement abandonner le cadre chronologique étroit tiré du Livre Saint. Ce cadre était en effet sérieusement contesté, à la fois par les vestiges de plus en plus nombreux de nos lointains ancêtres[1], ainsi que par les nouvelles connaissances qui s'accumulaient dans le domaine de la géologie et sur l'évolution des espèces[2]. Aujourd'hui, comme nous le soulignions plus haut, l'on mesure le *temps long* en milliards d'années.

Fonctionner avec un temps aussi long n'est certes pas pour faciliter les choses. D'autant plus que si les premiers Australopithèques datent de 3.4 à 3.5 millions d'années environ, les premiers événements historiques datables avec précision sont relativement récents par rapport à nous: il s'agit tout au plus de quelques millénaires seulement. Ainsi, pour bien comprendre les processus historiques des hommes et des sociétés qui constituent l'essentiel du présent volume et afin de les replacer adéquatement dans le *temps long* de l'histoire, nous devrons faire appel à deux grands types de chronologie: la chronologie absolue et la chronologie relative.

La chronologie absolue est la chronologie qui permet de dater les documents et les événements de façon précise sur notre propre échelle du temps. Elle se construit généralement à l'aide de listes royales et de divers documents écrits qui permettent, entre autres, des recoupages chronologiques entre les États et entre les régions. C'est ainsi que, à titre d'exemple, l'on peut fixer le début de la XIIe dynastie égyp-

---

1. C'est en 1856 que les premiers éléments fossiles de l'*Homme de Néandertal* furent découverts. Il fallut cependant attendre quelques décennies pour que les savants de l'époque arrivent à se débarrasser de leur carcan idéologique et finissent par reconnaître les limites de leurs positions philosophiques et religieuses quant à la question des origines de l'Homme.

2. Charles Darwin, DE L'ÉVOLUTION DES ESPÈCES, 1871.

tienne en 1991 avant notre ère, ou la fondation de Babylone en 1894 avant notre ère; ou encore, il est possible d'établir des correspondances entre l'Égypte et la Mésopotamie au IIe millénaire grâce aux documents égyptiens et mésopotamiens trouvés dans le Couloir syro-palestinien et appartenant à cette période.

Par contre, certaines techniques récentes utilisées en laboratoire permettent de situer de façon assez précise, et dans le *temps long*, les documents non écrits; elles nous font remonter le temps au-delà des périodes où apparaissent les grandes civilisations et servent de base pour l'établissement de la chronologie préhistorique. Nous parlons alors de datation à partir du cycle de vie des particules radioactives retrouvées dans les objets ou autour d'eux (tels le carbone 14 contenu dans les matières organiques, le potassium-argon trouvé dans les roches volcaniques, ou les particules alpha, bêta ou gamma émises par certains isotopes radioactifs qui existent à l'état naturel et isolées dans l'argile des poteries[1]). Combinées, ces méthodes facilitent la validation des dates établies par l'une ou l'autre d'entre elles.

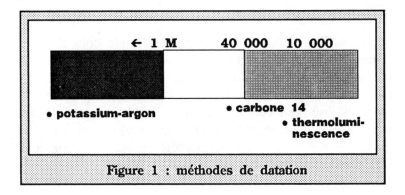

Figure 1 : méthodes de datation

---

1. Mesurées selon la méthode dite de la thermoluminescence.

Malgré les importants progrès réalisés durant les dernières décennies, il n'en demeure pas moins que ces méthodes, ainsi que d'autres portant, par exemple, sur les acides aminés, ou encore sur les traces de la faune et de la flore laissées dans les sédiments, ne couvrent que les débuts et la fin de la préhistoire. La période centrale, celle qui s'étend de 1 million à 40 000 ans, demeure souventes fois d'une datation fort imprécise.

La chronologie relative: comme son nom l'indique, cette méthode chronologique s'appuie essentiellement sur le temps relatif qui existe entre deux documents, entre deux moments de l'histoire. Avant l'introduction des techniques de laboratoire, l'archéologue se basait essentiellement sur l'évolution de l'outillage et de la poterie afin de déterminer leur positionnement relatif dans le temps. Cette méthode repose sur l'étude attentive de la stratigraphie, c'est-à-dire des couches de sédiments accumulées sur tel ou tel site. Si ces couches n'ont pas connu de perturbations, les plus anciennes se trouvent donc au plus bas niveau et les plus récentes en surface. Ainsi, les divers objets ou traces d'animaux et de végétations peuvent être relativement datés les uns par rapport aux autres.

* *L'outillage*. Considéré autant sous l'angle de son usage (types d'outil) que de celui de l'évolution technique des matériaux utilisés pour le produire (de la pierre aux divers métaux, en passant par l'os et le bois), il est le plus ancien moyen utilisé pour l'établissement de la chronologie relative. Cette première approche a d'ailleurs permis de placer dans le déroulement du temps les sociétés humaines selon leur type d'industrie.

C'est l'archéologue danois Christian Thomsen (1788 -1865) qui a "inventé" le cadre des étapes de la préhistoire basé sur les transformations du matériel lithique. À partir de cette approche, le *temps long* a pris forme, comportant les périodes suivantes: le Paléolitique (âge ancien de la pierre avec, par exemple, les bifaces), le Mésolithique (âge moyen de la pierre, période qui n'est pas partout présente), le Néolithique (âge nouveau de la pierre, celle de la pierre polie et raffinée), le Chalcolithique (période d'utilisation simultanée de la pierre et du cuivre), l'Âge du bronze, puis l'Âge du fer. Notons au passage que chacun de ces "âges" se subdivise habituellement en trois sous-périodes: ancien (ou inférieur), moyen et récent (ou supérieur).

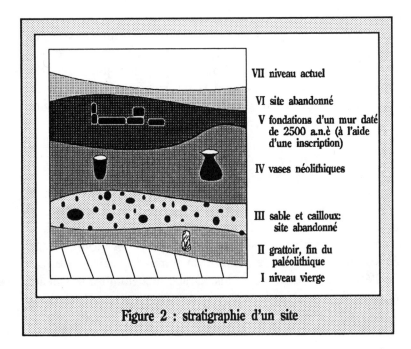

VII niveau actuel

VI site abandonné

V fondations d'un mur daté de 2500 a.n.è (à l'aide d'une inscription)

IV vases néolithiques

III sable et cailloux: site abandonné

II grattoir, fin du paléolithique

I niveau vierge

Figure 2 : stratigraphie d'un site

Ainsi, en l'absence de dates absolues, il est possible de replacer dans une séquence maintenant assurée le matériel archéologique concernant ces diverses industries et de situer relativement les unes par rapport aux autres les diverses sociétés de la préhistoire. Qui plus est, à partir de l'époque du bronze, la plupart des sociétés qui emploient ce métal arrivent au stade de la création de l'État et de la mise au point de l'écriture, donc aux documents datés et datables en fonction de notre propre calendrier. S'opère ainsi le passage d'une chronologie relative à une chronologie absolue.

* *La poterie* apparaît quelques millénaires avant le Néolithique. Grâce à la stratigraphie ainsi qu'à l'évolution des formes et des styles de la céramique, les restes de vases en usage durant ces époques reculées permettent souvent de raffiner la chronologie relative autant du Néolithique que des périodes antérieures[1]. Pour les périodes plus récentes, les vestiges de poterie servent la plupart du temps de points de repères relatifs afin de dater globalement un site ou une strate sans document écrit.

* *L'anthropologie physique et l'histoire naturelle.* Comme nous le verrons plus bas, la période qui commence avec l'apparition des ancêtres de l'Homme et qui couvre le long processus de l'hominisation représente la plus longue phase de notre histoire. L'on parle aujourd'hui de près de 10 millions d'années. L'anthropologie préhistorique s'est donnée, elle aussi, un instrument de mesure du temps à partir, cette fois, de l'étude des restes humains. Grâce aux nombreux travaux réalisés depuis près de 150 ans, il est maintenant permis de conclure à l'existence d'une famille d'hominidés dont les pre-

---

1. Voir le volume de Robert W. Ehrich sur le Proche-Orient: CHRONOLOGIES IN OLD WORLD ARCHAEOLOGY, The University of Chicago Press, Chicago & London 1965.

miers spécimens apparaissent il y a quelque 10 millions d'années et qui, après une longue évolution et succession de changements physiologiques, aboutissent, vers 40,000 ans environ, à *l'Homo sapiens sapiens*, c'est-à-dire à l'Homme moderne. Le système de datation s'appuie donc sur les caractéristiques physiques des hominidés concernés (étude du crâne, des dents, des os), en rapport avec les phénomènes naturels et leur histoire, révélés par la géologie, la botanique et la zoologie.

2. TABLEAU CHRONOLOGIQUE GÉNÉRAL

L'approche que nous allons suivre au cours de ces pages s'appuie évidemment sur les divers moyens chronologiques (relatifs ou absolus) que nous avons à notre disposition. Par contre, cette approche ne se limite pas qu'à l'une ou l'autre des composantes des sociétés que nous étudions: les restes physiques de l'homme, son outillage de pierre ou de métal, ou la documentation écrite. L'objectif premier de ce volume est de fournir un cadre de référence global permettant d'identifier les divers types de sociétés qui occupent l'espace-temps couvert par le présent ouvrage, ainsi que leurs processus et leur niveau de développement. Dans ce contexte, le tableau qui suit vise deux objectifs: d'abord, présenter la séquence historique des sociétés humaines qui apparaissent depuis les débuts de la préhistoire jusqu'aux multiples civilisations du Proche-Orient ancien; ensuite, fournir quelques points chronologiques de référence sur les États et les civilisations qui se sont succédé dans cette partie du monde.

TABLEAU 1

CHRONOLOGIE GÉNÉRALE

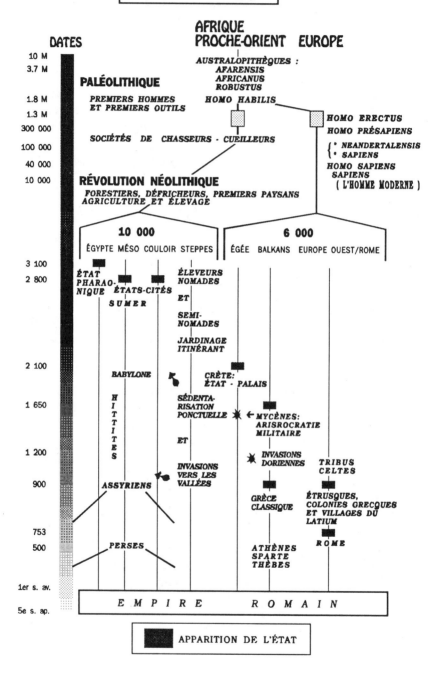

DATES

AFRIQUE
PROCHE-ORIENT EUROPE

10 M
3.7 M

AUSTRALOPITHÈQUES :
AFARENSIS
AFRICANUS
ROBUSTUS

PALÉOLITHIQUE

1.8 M

PREMIERS HOMMES
ET PREMIERS OUTILS

HOMO HABILIS

1.3 M
300 000

HOMO ERECTUS
HOMO PRÉSAPIENS

SOCIÉTÉS DE CHASSEURS - CUEILLEURS

100 000

{ • NEANDERTALENSIS
• SAPIENS

40 000

HOMO SAPIENS
SAPIENS

10 000

(L'HOMME MODERNE)

RÉVOLUTION NÉOLITHIQUE

FORESTIERS, DÉFRICHEURS, PREMIERS PAYSANS
AGRICULTURE ET ÉLEVAGE

10 000

ÉGYPTE MÉSO COULOIR STEPPES

6 000

ÉGÉE BALKANS EUROPE OUEST/ROME

3 100
2 800

ÉTAT
PHARAO-
NIQUE ÉTATS-CITÉS
SUMER

ÉLEVEURS
NOMADES

ET

SEMI-
NOMADES

JARDINAGE
ITINÉRANT

2 100

BABYLONE

CRÈTE:
ÉTAT - PALAIS

1 650

H
I
T
T
I
T
E
S

SÉDENTA-
RISATION
PONCTUELLE ← MYCÈNES:
ARISROCRATIE
MILITAIRE

ET

1 200

INVASIONS
DORIENNES

TRIBUS
CELTES

INVASIONS
VERS LES
VALLÉES

900

ASSYRIENS

GRÈCE
CLASSIQUE

ÉTRUSQUES,
COLONIES GRECQUES
ET VILLAGES DU
LATIUM

753
500

PERSES

ATHÈNES
SPARTE
THÈBES

ROME

1er s. av.

5e s. ap.

E M P I R E   R O M A I N

APPARITION DE L'ÉTAT

24

GUIDE DE LECTURE

Alibert-Kouraguine, Daniel
ARCHÉOLOGIE. Nathan, Paris 1986.

Fagan, Brian M.
L'AVENTURE DE L'ARCHÉOLOGIE. (traduction de: The Adventure of Archaeology). Bordas, Paris 1988.

Harris, Edward C.
PRINCIPLES OF ARCHAEOLOGICAL STRATIGRAPHY. Academic Press, Londres et Toronto 1979.

Hodder, Ian
READING THE PAST : CURRENT APPROACHES TO INTERPRETATION IN ARCHAEOLOGY. Cambridge University Press, Cambridge 1986.

Leeuw, Sander Ernst van der et Alison Pritchard (éditeurs)
THE MANY DIMENSIONS OF POTTERRY : CERAMICS IN ARCHAEOLOGY AND ANTHROPOLOGY. Université d'Amsterdam, Amsterdam 1984.

Pelletier, André (éditeur)
L'ARCHÉOLOGIE ET SES MÉTHODES : PROSPECTION, FOUILLE, ANALYSE, RESTAURATION. Édition Roanne, Horvath 1985.

Renfrew, Colin
LES ORIGINES DE L'EUROPE: LA RÉVOLUTION DU RADIOCARBONE. Flammarion, Paris 1983.

Taylor, Royal Rewin
RADIOCARBON DATING: AN ARCHAEOLOGICAL PERSPECTIVE. Academic Press, Orlando et Toronto 1987.

2

LES ORIGINES :
DES PREMIERS PRIMATES
À L'HOMME MODERNE

1. LES PRIMATES[1]

Lorsqu'en 1871 Charles Darwin publia son ouvrage DE L'ORI-
GINE DES ESPÈCES, la réaction ne se fit pas attendre: de tous
les horizons fusèrent les cris d'horreur des bien-pensants,
refusant de reconnaître la possibilité de l'existence d'une
quelconque relation biologique entre les humains et les singes. Il faut rappeler qu'à l'époque, les êtres vivants étaient
classés selon l'*Échelle des êtres*, une théorie qui remontait à
Aristote. Selon cette conception élaborée par le philosophe
grec du IVe siècle avant notre ère, hommes et singes pouvaient certes, sous certains aspects, se ressembler mais aucun
rapport biologique n'était envisageable entre eux. De plus,
pour l'Occident chrétien, Dieu avait créé l'Homme à son
image, et il ne pouvait être question de remettre en cause le
récit biblique de la création[2].

---

1. La nomenclature utilisée dans ces pages pour définir les étapes "généalogiques"
des primates est celle généralement acceptée. Cependant, selon les spécialistes et
les interprétations, certains termes tout comme certaines dates peuvent diverger.

2. Il est intéressant de rappeler que le débat entre évolutionnistes et créationnistes
est loin d'être terminé. Aux États-Unis, vers la fin de 1989, une cour judiciaire de
l'État de la Californie a accepté les représentations des tenants du récit de la
Création à l'effet d'éliminer l'idée de la *théorie* de l'évolution des textes scolaires et
de ne la présenter que comme une simple *hypothèse*.

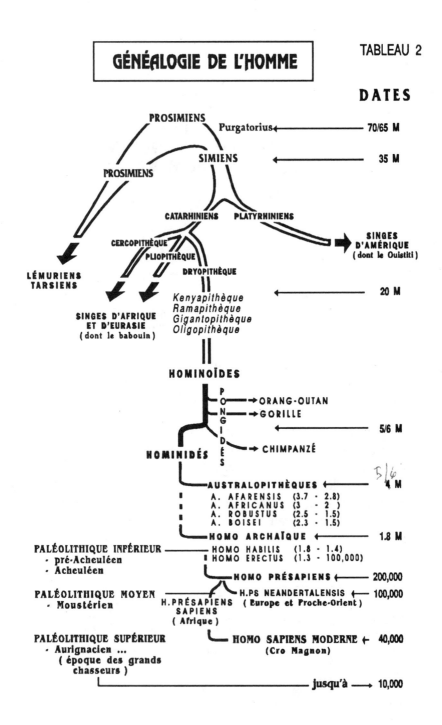

GÉNÉALOGIE DE L'HOMME

TABLEAU 2

DATES

PROSIMIENS

Purgatorius ← ———— 70/65 M

SIMIENS ← ———— 35 M

PROSIMIENS

CATARHINIENS PLATYRHINIENS

CERCOPITHÈQUE
PLIOPITHÈQUE
DRYOPITHÈQUE

SINGES D'AMÉRIQUE
(dont le Ouistiti)

LÉMURIENS
TARSIENS

*Kenyapithèque
Ramapithèque
Gigantopithèque
Oligopithèque* ← ———— 20 M

SINGES D'AFRIQUE
ET D'EURASIE
(dont le babouin)

HOMINOÏDES

P
O
N
G
I
D
É
S

→ ORANG-OUTAN
→ GORILLE

← ———— 5/6 M

HOMINIDÉS

→ CHIMPANZÉ

AUSTRALOPITHÈQUES ← ———— 4 M

A. AFARENSIS (3.7 - 2.8)
A. AFRICANUS (3 - 2)
A. ROBUSTUS (2.5 - 1.5)
A. BOISEI (2.3 - 1.5)

HOMO ARCHAÏQUE ← ———— 1.8 M

PALÉOLITHIQUE INFÉRIEUR ———
- pré-Acheuléen
- Acheuléen

HOMO HABILIS (1.8 - 1.4)
HOMO ERECTUS (1.3 - 100,000)

HOMO PRÉSAPIENS ← ———— 200,000

PALÉOLITHIQUE MOYEN ———
- Moustérien

H.PS NEANDERTALENSIS ← ———— 100,000
(Europe et Proche-Orient)
H.PRÉSAPIENS
SAPIENS
(Afrique)

PALÉOLITHIQUE SUPÉRIEUR
- Aurignacien ...
(époque des grands
chasseurs)

HOMO SAPIENS MODERNE ← 40,000
(Cro Magnon)

jusqu'à ———→ 10,000

30

Depuis ce temps, les découvertes archéologiques se sont fort heureusement multipliées, livrant une riche moisson d'ossements fossiles de plus en plus anciens et qui s'étendent jusqu'aux origines premières de l'histoire de l'Homme. En outre, les techniques et les méthodes d'analyse se sont enrichies de maints apports venant de la géologie, de la biologie, de la chimie, de l'anthropologie, de la paléontologie ainsi que de l'archéologie. Grâce à ces dernières, non seulement le champ de nos connaissances s'est-il consolidé mais, en même temps, elles ont permis d'élargir le spectre de nos questionnements.

Ainsi, le tableau de nos origines, quoique confus et obscur par endroits, se présente aujourd'hui avec une certaine netteté, à la fois étonnant et fascinant par sa complexité, constituant une longue histoire qui ne se mesure plus qu'en millions d'années [Tableau 2].

L'aventure humaine, nous l'avons dit, plonge ses racines dans un passé très lointain. À l'extrême limite du temps, les paléontologues font coïncider les origines de l'Homme avec celles des premiers primates, les PROSIMIENS. Le plus ancien spécimen connu est le *Purgatorius*, un petit primate à 44 dents et ressemblant à un rat. Il date de 65 à 70 millions d'années et a été découvert en Amérique du Nord, dans les Montagnes Rocheuses.

Autour de 40 millions d'années, l'évolution de certains PROSIMIENS mène à l'apparition d'une nouvelle branche: les SIMIENS. C'est à ce second groupe de primates auquel la généalogie de l'Homme se rattache. On les retrouve autant en Amérique du Sud qu'en Afrique, où ils occupent les denses forêts pluvieuses de la zone tropicale. Ce qui nous intéresse particulièrement chez ces anciens primates est le fait qu'ils possèdent déjà des caractères physiques distinctifs qui serviront de base à l'évolution de certaines espèces du genre simien vers le genre HOMO: des mains à cinq doigts qui peuvent saisir les objets, des pieds à cinq doigts, des yeux très vifs (dans un contexte où la vue s'avère jouer un rôle majeur pour la survie) et un cerveau aux proportions de plus en plus importantes.

Même s'il n'est pas toujours facile de suivre avec certitude l'évolution des SIMIENS, il est clair qu'entre 40 et 20 millions d'années, ces petits primates se sont graduellement transformés en plusieurs sous-groupes (ou espèces). Les uns ont continué à occuper les forêts tropicales, tandis que les autres devenaient capables de se déplacer et d'exploiter occasionnellement les ressources plus aléatoires, mais plus variées, des zones de boisés et des hautes herbes de la savane. Dans ces dernières régions, la stratégie de survie doit en effet tenir compte des variations du climat qui, d'une saison à l'autre, passe d'une période de fortes pluies à une dure période de sécheresse. Certains SIMIENS furent donc amenés à exploiter de façon plus large les diverses ressources de leur environnement, les forçant ainsi à se déplacer sur le sol, d'un endroit à l'autre, afin de trouver leur nourriture et l'eau dont ils avaient besoin. Cette phase d'adaptation, que l'on peut situer entre 35 et 20 millions d'années, a été capitale dans le processus évolutif menant aux HOMINIDÉS, branche à laquelle appartient l'Homme moderne. En effet, l'interaction qui existe entre les changements anatomiques et ceux de l'environnement permit un renforcement des caractères humanoïdes (mains, pieds, bipédie, vision stéréoscopique, agrandissement de la boîte crânienne) et favorisa grandement l'émergence de spécimens pré-humains. C'est d'ailleurs à partir de ce moment-là que les grands groupes de primates SIMIENS se séparent, les uns formant les familles de Singes: les PLATYRHINIENS, pour l'Amérique[1], et les CATARHINIENS, pour l'Eurasie

---

1. Ou Singes du Nouveau Monde, possédant une longue queue ainsi que 36 dents.

et l'Afrique[1]. C'est de l'une des trois branches formant les CATARHINIENS, à savoir les DRYOPITHÈQUES[2], qu'émergeront les HOMINOÏDES, parmi lesquels se retrouvent les PONGIDÉS (dont les Grands Singes d'aujourd'hui: gorille, orang-outan et chimpanzé) et les HOMINIDÉS (la lignée qui mène à l'Homme).

Tandis que ces primates expérimentaient leurs nouveaux milieux, les ancêtres de l'AUSTRALOPITHÈQUE et des GRANDS SINGES se répandaient vers l'Europe et l'Asie. Leurs restes anatomiques mis à jour datent de 20 à 10 millions d'années et démontrent une évolution physiologique fondamentale. Il s'agit du *Kenyapithèque* (entre 20 et 14 millions d'années, découvert au Kenya), du *Ramapithèque* (entre 14 et 8 millions d'années, et dont on a trouvé les traces en Hongrie, en Turquie, en Inde et au Pakistan), du *Gigantopithèque* (âgé d'une dizaine de millions d'années et découvert en Inde et en Chine) et de l'*Oréopithèque* (datant de 12 millions d'années et mis à jour en Toscane, Italie, et au Kenya). Si, chez ces derniers primates, la bipédie n'est encore qu'occasionnelle, des traits anatomiques nouveaux imposent leur rythme à l'évolution de l'espèce: une face dont le museau se réduit en même temps que se produit une réduction du volume des dents antérieures, et des molaires qui prennent davantage de place à côté des canines, assurant une mastication plus efficace[3].

Malgré tous ces changements significatifs, il est juste de souligner que nous avons toujours affaire à des spécimens appa-

---

1. Ou Singes de l'Ancien Monde, sans queue et avec 32 dents.

2. Dont le fameux fossile *Proconsul*, considéré par certains comme l'ancêtre commun des Hominidés et des Pongidés.

3. À partir du moment où la main prend en charge les fonctions tactiles (à la place du museau) et celles de la mâchoire (saisir et briser), les fosses nasales s'effacent et la mâchoire se rétrécit.

rentés aux singes, et non encore à des hommes. Quant à la question généalogique, il est toujours très difficile d'établir des liens incontestables entre eux. Certains, comme le *Sivapithèque[1]*, sont considérés comme les ancêtres des GRANDS SINGES; d'autres, tel le RAMAPITHÈQUE, sont plutôt perçus comme les ancêtres des HOMINIDÉS.

2. LES AUSTRALOPITHÈQUES: NOS ANCÊTRES?

L'étape clé du long cheminement des premiers primates vers l'Homme se produit à partir de 10 millions d'années, moment où apparaissent les premiers AUSTRALOPITHÈQUES. Même si l'origine de ces derniers ne peut être retracée avec certitude par suite du manque d'éléments fossiles probants, leur appartenance au genre HOMINIDÉ ne fait aucun doute[2].

C'est en Afrique du Sud[3] et de l'Est que se déroule leur histoire, principalement le long de la Grande Vallée du Rift qui, à partir de l'Éthiopie, déchire du Nord au Sud, l'Est du continent.

---

1. C'est en fait un Ramapithèque, mais plus gros.

2. La question en est une de classification. L'Australopithèque est placé parmi les Hominidés non parce qu'il possède des ressemblances avec l'homme, mais plutôt parce qu'il partage avec ce dernier des caractéristiques nouvelles dérivées d'un ancêtre qui n'est pas commun aux Grands Singes. L'on parle ici de la réduction de la canine, ainsi que de modifications à l'os pelvien et au pied (liées à la bipédie). Par contre, ces traits particuliers n'en font pas non plus automatiquement l'ancêtre immédiat de l'Homme. En fait, tout cela indique au minimum que l'Australopithèque et l'Homme ont le même ancêtre, différent de celui des Grands Singes.

3. Ou Afrique australe, d'où leur nom d'Australopithèques.

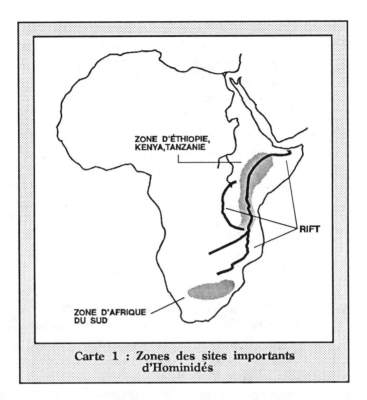

ZONE D'ÉTHIOPIE, KENYA,TANZANIE

RIFT

ZONE D'AFRIQUE DU SUD

Carte 1 : Zones des sites importants d'Hominidés

Si la période s'étendant de 10 à 4 millions d'années demeure encore ténébreuse, c'est à partir de 4 millions d'années environ que les restes anatomiques s'accumulent de façon très significative, illustrant l'importance du processus évolutif qui se déroula dans cette partie du monde. A partir de ce moment, l'histoire de l'Homme est définitivement africaine, comme le démontrent les découvertes récentes qui ne cessent de se faire de plus en plus nombreuses dans la région[1].

---

1. À ce sujet, voir le NATIONAL GEOGRAPHIC, Vol. 168, No. 5, Novembre 1985.

Au-delà des débats qui ont cours chez les spécialistes quant aux liens à établir entre, d'une part, les divers AUSTRALOPI-THÈQUES et, d'autre part, ces derniers et les premiers Hommes, il est pour le moment généralement accepté par les paléontologues qu'il a existé quatre familles différentes d'AUS-TRALOPITHÈQUES. En outre, comme l'ancêtre immédiat de l'HOMO ARCHAÏQUE n'a pas encore été identifié comme tel, il est difficile de rattacher ce dernier à l'une ou l'autre de ces familles d'AUSTRALOPITHÈQUES. Nous savons, par contre, que les premiers Hommes, les *Homo habilis*, ont été, pendant un certain laps de temps, leurs contemporains. Nous sommes donc en face de deux lignées différentes, mais très fortement apparentées: d'abord les AUSTRALOPITHÈQUES et, ensuite, les HOMO, ces derniers apparaissant un peu plus tard sur la grande scène de l'Histoire.

Nous verrons plus loin les questions qui touchent l'évolution et l'adaptation des HOMINIDÉS en rapport avec les modifications de leur environnement. C'est à ce moment-là que nous aborderons le contexte et le processus historique de l'apparition de l'Homme. Pour le moment, contentons-nous d'identifier les familles (ou espèces) qui font partie du groupe (ou genre) des AUSTRALOPITHÈQUES. Cette courte présentation est d'autant plus importante que leur passage sur la planète s'est étendu sur plus de 2.5 millions d'années. Il ne s'agit donc pas d'une simple parenthèse dans l'histoire, surtout si l'on compare la durée de leur existence sur Terre avec celle de l'Homme: depuis l'apparition de l'*Homo habilis*, la présence de l'Homme n'atteint tout au plus que 1.8 million d'années!

Les données archéologiques montrent que l'AUSTRALOPITHÈ-QUE constitue un groupe très bien implanté en Afrique. On le retrouve dans la Grande Vallée du Rift, autour des anciens lacs qui tapissaient, jadis, cette vaste dépression tectonique, et en Afrique du Sud, principalement dans les nom-

breuses cavernes de la région. Sur le plan physique, on constate un grande diversité dans la taille des fossiles mis à jour,
ainsi que dans les éléments anatomiques des individus (crâne, dentition, etc.). Même si les spécialistes parlent de quatre
grandes familles d'AUSTRALOPITHÈQUES, il est possible que les
variations anatomiques observées puissent indiquer la présence de populations diversifiées, évoluant isolées les unes
des autres dans des niches écologiques différentes, à la manière des populations humaines plus récentes.

Le groupe le plus ancien est l'*Australopithèque afarensis* (3.7
à 2.8 millions d'années). Les ossements trouvés[1] indiquent
qu'il était gracile et de petite taille, avec un maximum de
1.10 m. Le spécimen le plus connu est certes la fameuse
Lucy[2], dont 40% du squelette a pu être mis à jour en Éthiopie du Nord (Hadar), en 1974. Même si l'*Australopithèque
afarensis* conserve de nombreuses similitudes anatomiques
avec les Pongidés (petit crâne[3] et face allongée), des épaules
aux pieds, il devient de plus en plus "humain". Sa bipédie est
certaine[4] tout comme sa capacité à faire habilement usage de
ses mains.

La région de l'Afrique du Sud est représentée par le second
groupe, l'*Australopithèque africanus*. Les dates sont plus récentes puisque l'on situe sa présence entre 3 et 2 millions
d'années. Par sa petite taille, il est fortement apparenté au
premier groupe, quoique le volume crânien soit légèrement
supérieur.

---

1. Sur le site de Laetoli en Tanzanie et de Hadar en Éthiopie.

2. Ce nom de "Lucy" provient de la chanson des Beatles, *Lucy in the sky*, qui jouait
beaucoup à la radio, au moment de la découverte.

3. D'une capacité de 450 cm^3, comparativement à 1350 pour l'Homme moderne.

4. La morphologie des os et des articulations montre cependant que grimper demeure toujours une forme permanente de locomotion.

Les deux derniers groupes, l'*Australopithèque robustus* (2.5 à 1.5 millions d'années) et l'*Australopithèque boisei* (2.3 à 1.5 millions d'années), sont, avec leur 1,50 m., de taille plus imposante que les premiers AUSTRALOPITHÈQUES. Avec eux, les transformations adaptives se poursuivent et l'on note un rétrécissement du visage et un développement des éléments associés à la mastication (larges molaires et os de la mâchoire plus volumineux, avec des canines plus discrètes, permettant le mouvement latéral de la mâchoire pour une mastication plus efficace). *Robustus et Boisei* disparaissent à peu près au même moment sans laisser, semble-t-il, de descendance.

La question de la place occupée par les AUSTRALOPITHÈQUES dans l'histoire de nos origines est certes fondamentale. Elle sert de phase de transition entre celle du type "singe" et celle du type "homme". Par contre, au stade actuel de nos connaissances, les avis des spécialistes divergent quant au rattachement définitif du genre HOMO à l'un ou l'autre des deux premiers groupes d'AUSTRALOPITHÈQUES identifiés. C'est ici que se place, en quelque sorte, l'énigme du CHAÎNON MANQUANT. Il n'est cependant pas exclu que l'ancêtre immédiat de la famille des HOMO appartienne à un autre groupe d'AUSTRALOPITHÈQUES ayant vécu distinctement de ceux déjà connus. Dans ces conditions, les AUSTRALOPITHÈQUES formeraient un genre constitué de plusieurs espèces dont l'une, ultimement, aurait mené à l'apparition d'un nouveau genre, celui des HOMO. Les fouilles futures permettront peut-être un jour d'élucider le mystère.

3. LA LIGNÉE DES *HOMO*, CELLE DE L'HOMME MODERNE

Avec l'apparition de l'*Homo habilis*, il y a 1.8 million d'années, une phase nouvelle commence, distincte de celle des AUSTRALOPITHÈQUES. Elle concerne à la fois les données anatomiques et celles relatives à l'adaptation de l'espèce à son environnement. Ainsi, non seulement l'espace crânien augmente-t-il de façon substantielle, passant à près de 800 cm^3, mais tout indique que les *Homo habilis* sont les premiers à faire usage d'outils de pierre[1].

Avec eux s'amorce donc une sorte de pré-Paléolithique inférieur, une phase embryonnaire et préparatoire au premier grand Âge de la pierre, selon la terminologie des préhistoriens. De plus, à la différence des AUSTRALOPITHÈQUES, ces premiers hommes se nourrissent de la viande de gros mammifères, ce qui entraîne nécessairement des changements majeurs dans les comportements entre individus (nécessité de l'entraide et du partage). Se nourrir de rhinocéros, d'éléphants, de cerfs, de chevaux ou d'aurochs déjà morts (ou peut-être tués par la chasse) impose, en effet, de nombreux défis de taille: d'une part, les *Homo Habilis* doivent faire face à la concurrence des prédateurs et charognards[2] et compenser la faiblesse physique relative de leur corps (dépourvu de griffes et de crocs acérés); et de l'autre, ils ne peuvent utiliser qu'un outillage encore trop primitif pour permettre l'usage d'un armement un tant soit peu efficace.

La savane, avec ses riches troupeaux, offrait certes de nombreuses possibilités en viande; mais encore fallait-il que ces

---

1. Il s'agit pour l'essentiel d'éclats de galets, bruts ou taillés, sur une ou deux faces.

2. Lion, tigre à dents de sabre, hyène, vautour.

premiers hommes s'organisent pour l'obtenir. Pour y arriver, ils devaient y mettre beaucoup d'énergie et de temps, sans compter la mise en place de moyens de défense suffisants pour assurer la protection de leur petite communauté[1].

Ainsi donc lorsque, vers 2 millions d'années, la savane africaine commença sérieusement à s'assécher, les *Homo habilis* purent se tourner vers les gros mammifères afin d'assurer leur subsistance, devenue soudainement plus précaire, et compléter leur ancienne diète faite de végétaux et de petits mammifères.

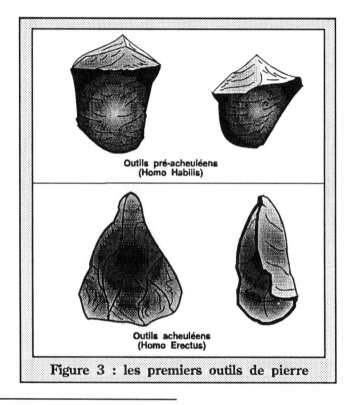

Outils pré-acheuléens
(Homo Habilis)

Outils acheuléens
(Homo Erectus)

Figure 3 : les premiers outils de pierre

1. Comme ces enclos de pierres de 3,50 m de diamètre qui, certainement renforcés de ronces, devaient permettre aux groupes humains de vivre temporairement à l'abri.

Si l'on tient compte de l'ensemble des phénomènes en cause, anatomiques, environnementaux et techniques, force nous est de reconnaître qu'avec l'*Homo habilis*, le processus d'hominisation s'engage de façon irrémédiable!

C'est avec l'*Homo erectus* que la Préhistoire, traditionnellement définie par l'expression de PALÉOLITHIQUE INFÉRIEUR, fait ses premiers pas. À nouveau de souche africaine, cette nouvelle espèce d'Hommes s'inscrit à la fois en continuité et en rupture d'avec l'*Homo habilis*. D'une part, les premières technologies de la pierre se poursuivent, puis se perfectionnent. Elles finissent par donner ce que les archéologues appellent l'INDUSTRIE ACHEULÉENNE; pendant tout près de 1.2 million d'années, elle va caractériser ce premier âge de la pierre. L'élément le plus distinctif de cet outillage demeure le biface dont l'évolution donnera une très grande variété d'instruments pour couper, percer, écraser.

C'est un outil dont la préparation demande un long travail de précision puisque que le silex original est non seulement taillé en deux tranchants, mais les deux faces de l'objet sont martelées et réduites aux dimensions recherchées. D'autre part, l'évolution anatomique se poursuit, principalement au niveau de l'espace crânien qui passe alors à 825 cm^3, et du réaménagement de cet espace. Ce dernier élément correspond à une complexification accrue du cerveau et de ses fonctions[1].

Le phénomène marquant de l'arrivée sur la scène africaine de l'*Homo erectus* est la première grande dispersion de l'Homme vers d'autres continents. En effet, même si à cette

---

1. Par exemple, le front qui devient plus large et plus haut, permettant au lobe frontal du cerveau d'occuper un plus vaste espace, augmentant ainsi la capacité de concentration.

époque l'essentiel de la population humaine se trouve toujours en Afrique, certains groupes migrent vers le Nord-Ouest et le Nord-Est du continent. On les retrouve ensuite au Proche-Orient vers 900,000 et en Europe vers 700,000 (où ils seront ultimement remplacés par l'*Homme de Néandertal*, vers 100,000). Leur présence est attestée en Inde vers 500,000.

L'un des héritages de l'*Homo erectus* le plus souventes fois souligné est sans contredit sa "conquête du feu". Entendons ici la maîtrise du feu, c'est-à-dire la mise au point de techniques permettant de produire le feu au besoin, à l'aide de pierres entrechoquées ou par frottements de deux pièces de bois. Les implications à long terme de ce pouvoir sur le feu sont évidemment incalculables. Non seulement, l'Homme peut dorénavant se chauffer (et par conséquent occuper des zones géographiques plus hostiles à cause des basses températures), mais en même temps, il est en mesure de cuire les aliments, s'éclairer, bâtir des barrières de feu contre les prédateurs, durcir la pointe de ses lances en bois, faire éclater la pierre, etc. Avec le feu, l'Homme allait devenir maître de la matière.

L'histoire de l'*Homo erectus* se termine en Europe vers 100,000. Puis, comme le souligne à juste titre Jean Guilaine, *après des milliers de millénaires de maturation au cours desquels des étapes ont été franchies, les 80 000 dernières années consacrent le pari audacieux de l'intelligence pour le développement de l'espèce*[1]. C'est dorénavant l'ère de l'*Homo Sapiens*, d'abord marquée par la présence de l'*Homo présapiens*.

---

1. Dans: LA PRÉHISTOIRE, D'UN CONTINENT À L'AUTRE. Librairie Larousse, Paris 1989, page 66.

L'origine de ce dernier fait encore l'objet de chauds débats chez les spécialistes. Deux modèles explicatifs ont cours: un premier, qui met l'emphase sur une évolution ne touchant qu'une population restreinte d'*Homo erectus* et qui finit par remplacer l'ensemble des *Homo erectus*; un second, qui affirme que le processus a pu se produire autant en Asie, en Europe qu'en Afrique, menant à l'émergence de plusieurs rameaux distincts d'*Homo présapiens*. Une analyse attentive des différences anatomiques existant entre les fossiles permet, probablement, de souscrire à la seconde hypothèse.

Quoi qu'il en soit, son apparition est partout marquée par une profonde "révolution" au niveau de l'outillage qui, à l'époque de son prédécesseur, l'*Homo erectus*, avait connu une certaine stagnation. En terme de dates, les premiers *Homo présapiens* apparaissent en Afrique vers 200,000 (avec une capacité crânienne de 1200 cm^3), et l'*Homme de Néandertal*, vers 100,000 (avec une capacité crânienne de 1350 cm^3)[1].

C'est surtout en Europe que l'évolution est la plus visible, grâce à une documentation fossile et matérielle très riche. On parle dès lors d'une nouvelle phase du Paléolithique, le stade moyen, caractérisé par l'industrie lithique du Moustérien[2]. Elle s'étend de 100,000 à 35,000 ans.

---

1. Une certaine confusion existe chez les divers spécialistes quant à l'utilisation du terme de *Néandertal* (écrit parfois *Néanderthal*). En effet, pour les uns, il recouvre tous les individus de cette phase évolutive avant l'Homme moderne. Pour d'autres, il correspond aux Hommes de cette même phase, mais vivant en Europe et au Proche-Orient à partir de 100,000 ans. Nous avons retenu cette deuxième position.

2. L'industrie moustérienne typique est caractérisée par des racloirs et des pointes, finement travaillés. Par contre, il faut souligner l'existence, à cette époque, et d'une région à l'autre, de nombreuses variations "culturelles".

Nous verrons plus loin les conditions de vie matérielle et sociale des hommes de cette époque. Contentons-nous pour l'instant de souligner qu'avec l'*Homme du Néandertal*, nous trouvons les premières manifestations concrètes (en dehors de l'industrie lithique) de ce qui, fondamentalement, appartient en propre à l'Homme: la culture. Il s'agit, en l'occurrence, des premières sépultures ainsi que de la décoration de certains objets. Ainsi, grâce à son intelligence, à sa ténacité et à ses capacités inventives, l'*Homme de Néandertal* saura survivre à travers les rudes conditions de la dernière glaciation (celle de Würm), en élaborant d'efficaces sociétés de cueilleurs/chasseurs.

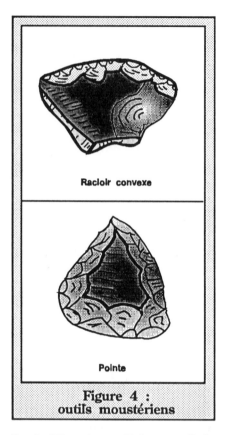

Racloir convexe

Pointe

Figure 4 :
outils moustériens

Sa disparition, située vers 35,000 ans, pose toujours de sérieux problèmes. Rien ne permet de l'attribuer à une quelconque catastrophe, encore moins à la venue de l'*Homo Sapiens moderne*. Sur ce dernier point, il faut mentionner que l'Homme actuel ne semble pas "dériver" de l'*Homme de Néandertal*, mais plutôt d'une autre souche de *Présapiens*, les *Homo présapiens sapiens*. Les études récentes portant sur l'ADN permettent de croire que leur origine serait africaine et qu'à l'instar de l'*Homo erectus*, elle aurait été suivie d'une migration hors du continent. On en retrouve les premières traces vers 100,000 ans dans la région du Proche-Orient, puis en Europe, vers 35,000 ans. Les deux groupes d'humains ont donc été contemporains, les seconds empruntant nombre de réalisations aux premiers. Si la coupure entre le Paléolithique Moyen et le Paléolithique Supérieur (ou récent) ne peut être attribuée à l'arrivée de l'*Homme moderne*[1] (les *Hommes de Cro Magnon* en Europe), ce qui va caractériser la présence de ce dernier sera une industrie de la pierre beaucoup plus sophistiquée, à savoir: celle de la lame.[2]

Graduellement, cet *Homme moderne* va se répandre sur l'ensemble des continents, occupant quasiment tous les recoins de la planète.

4. ÉVOLUTION ET ADAPTATION: LE PROCESSUS D'HOMINISATION

Le développement des primates et l'apparition de l'Homme, dont nous venons de brosser un tableau historique succinct, ne serait pas complet sans quelques lignes de réflexion sur la captivante question du processus d'hominisation. Quels sont, en effet, les facteurs qui participent à la transformation de nos ancêtres lointains en humains?

---

1. Certaines industries de la pierre sont partagées par les deux groupes, autant au Paléolithique Moyen que Supérieur.

2. Correspondant au terme d'aurignacien, retenu par l'archéologie.

Malgré les limites imposées par les aléas des fouilles et des découvertes, les restes fossiles à notre disposition nous permettent aujourd'hui de suivre, avec assez de précision, le sens de l'évolution des primates jusqu'à l'apparition de l'Homme. Par contre, quels sont les mécanismes sous-jacents au processus évolutif? Quels sont les phénomènes qui déterminent les changements observables à travers les millénaires? Même si, à l'heure actuelle, une réponse totalement satisfaisante ne peut être élaborée, un certain nombre d'éléments et de mécanismes peuvent être identifiés. Nous en ferons ici un résumé.

D'abord, la dynamique de l'évolution et de l'adaptation. Nous avons eu l'occasion de montrer que l'évolution de l'espèce des primates était parfaitement identifiable sur le plan anatomique. À ce niveau, l'hominisation se caractérise par plusieurs phénomènes physiques: l'apparition de la locomotion efficace sur deux pieds; l'élargissement de la boîte crânienne et, par conséquent, l'augmentation du volume du cerveau en rapport avec le développement des fonctions de ce dernier; des modifications substantielles touchant le faciès avec, entre autres, l'abandon des crocs, le développement des canines et des molaires; la spécialisation du pouce (suite à la bipédie), caractérisé par sa grande flexibilité et sa capacité de rejoindre chacun des autres doigts de la main; à quoi s'ajoutent de nombreuses autres modifications anatomiques touchant les os du bassin, les articulations, la colonne vertébrale, etc.

Or, si les éléments anatomiques qui caractérisent l'hominisation nous sont assez bien connus, c'est le processus évolutif lui-même qui suscite débats et hypothèses explicatives. Làdessus, les spécialistes avancent généralement deux positions différentes et opposées: pour les uns, l'évolution des espèces constitue un processus graduel, dans un contexte d'interactions permanentes entre l'environnement et les mutations biologiques. Pour les autres, l'évolution fonctionne plutôt par modifications brusques, entraînant l'apparition rapide de nouvelles espèces. Si l'on ne peut trancher clairement entre ces deux conceptions extrêmes, il est certain que tout processus évolutif se produit sur de très longues périodes avec, à l'occasion, des ruptures qualitatives marquées. C'est comme si l'on parlait d'une Histoire où s'accumulent graduellement les changements quantitatifs (touchant autant les éléments anatomiques que les facteurs environnementaux), jusqu'au jour où le jeu et l'addition de ces changements produisent l'émergence de quelque chose de qualitativement nouveau, une nouvelle espèce ou même, un nouveau genre.

Soulever le rôle de l'environnement dans le processus évolutif, c'est poser directement la question de l'impact des conditions géo-climatiques sur les changements qui touchent les espèces et les genres animaux. La forêt, les zones d'herbage, la savane, pour ne citer que quelques exemples, ce sont en fait des milieux "expérimentaux" dans lesquels évoluent les espèces et qui servent de "limite au possible".

L'environnement offre des possibilités de survie (nourriture, source d'eau, faune et flore, climat) qu'une espèce peut ou ne peut pas s'approprier, selon ses propres conditions physiques et mentales. Si, sur la longue durée, les modifications anatomiques le permettent, de nouveaux milieux pourront être ainsi utilisés, servant à leur tour de nouveaux laboratoires à l'évolution des espèces qui s'y adaptent. Ainsi, par exemple, les mutations physiques qui permettent la bipédie sont renforcées si les individus qui sont porteurs de ces changements les utilisent en s'adaptant à un environnement qui le demande. Par exemple, la station debout augmente le champ de vision en permettant de voir au-dessus des hautes herbes, faculté qui rend possible un meilleur contrôle sur les proies recherchées, sur les animaux qu'il faut fuir, sur la détection des points d'eau. L'on peut même imaginer qu'entre individus éloignés, les signaux faits avec les bras avaient de meilleures chances d'être perçus. À long terme, le succès remporté par les bipèdes favorise leur reproduction et leur multiplication. À son tour, cette nouvelle adaptation de l'espèce dans de nouvelles niches écologiques entraîne ou favorise de nouveaux changements anatomiques, et le processus évolutif se poursuit.

Cependant, le phénomène de l'hominisation ne s'arrête pas là, c'est-à-dire qu'il ne se réduit pas uniquement aux facteurs anatomiques et environnementaux. A partir de l'*Homo habilis*, les HOMINIDÉS se sont définitivement détachés des autres espèces animales en commençant à créer leurs propres instruments de survie. Ainsi, parallèlement et interactivement à l'évolution de l'espèce elle-même, on assiste à la mise au point de stratégies de survie qui impliquent une action directe et consciente sur le milieu. Cette action se manifeste par le développement de l'outillage, de la maîtrise du feu, de la fabrication de vêtements et de la construction d'abris. Nous pouvons dès lors parler de *culture*, au sens large du terme, produite par l'Homme dans le contexte de ses rapports avec la Nature. Le processus évolutif s'enrichit donc d'une nouvelle dimension qui est spécifique à l'Homme et qui n'est pas sans offrir à ce dernier de nouvelles possibilités d'adaptation.

Pour l'Homme en devenir, les modifications biologiques essentielles se déroulent d'abord et avant tout au niveau du cerveau et du système nerveux. Si l'augmentation du volume crânien joue un rôle certain dans le processus, des phénomènes moins facilement mesurables pour ces temps reculés font leur apparition et attestent des changements qui s'opèrent: la conscience, la faculté d'apprendre, le langage et l'imaginaire.

Pendant longtemps, on a considéré que ce qui séparait l'Homme de l'animal était la capacité du premier à faire usage d'outils. Or, les études récentes portant, entre autres, sur les chimpanzés, ont démontré que ces primates évolués savaient attraper des termites à l'aide de branches, ramasser de l'eau avec des feuilles, ou même utiliser des gourdins pour faire fuir un ennemi. Le critère de l'outil demandait donc des précisions. Pour ce faire, nous avons retenu la définition de Jean Guilaine:

> *il est plus exact de dire que l'invention technique d'une* action sur la matière, *action* organisée, répétée, transmise, *est un phénomène propre à l'Homme, qui ne trouve son équivalent chez* aucun *autre primate supérieur*[1].

Ainsi, seul l'Homme peut consciemment transformer la matière en agissant sur elle (par exemple, un galet), planifiant mentalement son projet (la fabrication d'un grattoir), et possédant un objectif précis dans sa démarche (disons, ici, le nettoyage d'une peau de sa chair). En outre, les connaissances techniques acquises sont non seulement transmissibles (enseignement par le geste ou la parole), mais elles sont également perfectibles (évolution des outils de pierre). À partir de ce moment de l'Histoire, l'évolution biologique et les capacités adaptives de l'Homme sont irrémédiablement liées à son outillage.

En agissant sur la matière et son environnement, l'Homme primitif accumule donc des informations nouvelles, des gestes appris, des comportements qui n'ont rien à voir avec l'instinct. La conscience qu'il en acquiert participe à sa différen-

---

1. Dans: LA PRÉHISTOIRE, D'UN CONTINENT À L'AUTRE, Librairie Larousse, Paris 1989, page 52.

ciation de l'animal, à travers l'élaboration des symboles mentaux qui permettent le développement du langage et de l'imaginaire. Ainsi, les gestes et les choses, les phénomènes naturels et humains, s'érigent en concepts qui, à leur tour, peuvent s'exprimer en sons articulés[1] ou en images (mentales ou plastiques). Au fil des millénaires, ces concepts (et tout ce qu'ils sous-tendent) deviennent partie intégrante de la vie de tous les individus des diverses communautés humaines, constituant la base de ce qui permet dorénavant à l'Homme de survivre et d'évoluer: la culture.

Il en va de même des comportements dits *sociaux*. Si la bipédie favorise les déplacements et la quête de nourriture sur de plus grandes étendues territoriales, elle en permet éga lement le transport vers un lieu commun. Cet *habitat*, provisoire à l'origine, n'est certes pas dissociable des besoins de coopération, de partage et de protection du groupe, comme nous l'avons souligné plus haut. À partir de ces phénomènes, se tissent donc des rapports sociaux spécifiques entre hommes et femmes, entre jeunes et vieux, ce qui favorise la mise au point de règles comportementales qui assurent la stabilité (la loyauté entre les individus) et l'équilibre (la gestion des tensions) au sein d'une même communauté.

Cette vie sociale a dû se développer très tôt chez les premiers humains puisqu'elle constitue une forme adaptive très avancée chez les Grands Singes, nos cousins. Vivant en groupes composés de mâles, de femelles et de petits, ces derniers ont mis au point toute une série de comportements sociaux qui, à long terme, leur ont permis d'établir des liens beaucoup plus stables, tout en favorisant le développement d'une plus grande harmonie en-

---

1. Encore une fois, il existe une pré-condition anatomique importante: le déplacement du larynx plus loin dans la gorge. Avec la bipédie, la position verticale des premiers Hominidés favorisa cette modification qui, à son tour, permit aux cordes vocales de créer des sons nouveaux (complexification des voyelles et des consonnes qui facilitent l'invention de mots nouveaux, selon les besoins grandissants).

tre individus. Ces mécanismes, telles ces longues séances de toilettage, favorisent la solidarité et l'appartenance des individus au groupe, phénomènes d'autant plus importants que chez les Grands Singes l'espérance de vie peut atteindre entre 20 et 30 ans. Pour les tout jeunes singes, la stabilité du groupe est particulièrement essentielle puisqu'elle leur permet d'apprendre ces règles de comportements sociaux qui assurent le succès de l'espèce.

Le développement des rapports sociaux chez l'Homme n'est pas étranger, non plus, à la question de la sexualité et celle concernant le monde des émotions. Chez les grands primates, les mâles rivalisent d'agressivité pour avoir accès aux femelles qui ne sont actives sexuellement que durant des périodes bien déterminés. Chez l'Homme, compte tenu de la disponibilité sexuelle de la femme qui peut, en tout temps, avoir des relations et procréer, cette rivalité dut graduellement s'estomper. La disparition de l'oestrus, cette période de rut qui, chez les femelles animales, sert de déclencheur ponctuel aux relations sexuelles, a dû fortement contribuer au processus. En même temps, cette disponibilité n'est pas sans avoir contribué au développement de rapports plus stables et complémentaires entre individus mâles et femelles (par exemple, dans le partage des tâches économiques entre la cueillette et la "chasse", ou encore, dans celui qui touche la prise en charge par la mère des premières années des enfants et la protection du groupe par les mâles). À partir de ces "fonctions" sociales, nous pouvons entrevoir le développement d'émotions nouvelles[1], tels l'amour, l'amitié, la jalousie, la compassion, la haine, l'altruisme, etc., avec leurs effets de retour sur le développement des circuits nerveux du cerveau responsables de leur expression.

---

1. Au-delà des circuits d'émotions "primaires" que sont la peur, le désir/anticipation, la colère et la détresse, émotions partagées par les autres mammifères.

5. LA VIE QUOTIDIENNE AU PALÉOLITHIQUE INFÉRIEUR ET MOYEN

Lorsque nous étudions une société comme celle de l'Égypte des pharaons, les informations dont nous disposons pou¨ reconstituer les divers aspects de la vie des anciens nilotiques sont fort abondantes et, surtout, d'origines très variées. Qu'il s'agisse de documents écrits ou visuels, de monuments ou d'objets usuels divers, leur nombre et leur qualité permettent de restituer assez aisément la structure sociale ou politique de cette civilisation, ses techniques et son organisation du travail, ses modes de pensée et ses idéologies. Il en va tout autrement pour les temps reculés qui ont vu apparaître et se développer les premières sociétés humaines.

Si l'étude du comportement des Grands Singes actuels peut nous fournir une base utile afin de reconstituer certains aspects de la vie des premiers Hommes[1], il n'en demeure pas moins que de nombreux problèmes demeurent rattachés à ce type de référence. Selon qu'il s'agisse des gorilles, des babouins, des chimpanzés ou autres, les modèles élaborés diffèrent grandement et leur utilisation s'avère toujours très délicate. En dernière analyse, ce sont les outils et les diverses traces laissées par ces Hommes[2] qui permettent le mieux "d'imaginer" les premiers millénaires de l'Histoire de l'humanité.

Dans cette dernière partie de notre étude sur les origines de l'Homme, nous allons donc brosser un court tableau des principaux aspects de la vie quotidienne des premiers hu-

---

1. Pour les questions du langage, des rapports sociaux, de l'alimentation, de la bipédie, des liens des primates évolués avec leur environnement, et autres.

2. Un site habité, des déchets d'animaux, des restes de plantes comestibles, etc.

mains, depuis *Homo habilis* jusqu'à l'apparition de l'*Homme moderne*, c'est-à-dire, sur le plan chronologique, de 1.8 millions d'années environ jusque vers 35,000 ans avant notre ère.

Nous ne saurons jamais avec certitude comment nos plus lointains ancêtres *Homo habilis* vivaient. Les restes archéologiques sont minces et les réponses à nos questions portant sur les comportements et les rapports entre les individus risquent de demeurer dans le domaine de la conjecture, aussi savante soit-elle. Tout comme les autres primates supérieurs, les premiers humains durent se constituer en bandes "naturelles"; elles devaient comprendre un nombre relativement restreint d'hommes et de femmes, accompagnés de leurs enfants. La bande occupait un territoire donné, d'où elle tirait ses moyens de subsistance. À l'origine, la zone de subsistance était constituée de forêts. Graduellement, grâce au bipédisme, et dans le cadre des changements climatiques qui touchèrent l'Afrique à partir de 2 millions d'années, la savane devint un lieu propice au développement des communautés humaines.

On retrouve donc des traces d'occupation près des rivières et des lacs, endroits de choix pour se procurer un peu de fraîcheur ainsi que l'eau nécessaire à la survie. En même temps, on peut imaginer les premiers hominidés s'y reposant ou s'y regroupant pour fabriquer de rudimentaires outils de bois, puis de pierre, afin de tirer le maximum d'un mammifère trouvé mort ou en difficulté.

Peut-on, pour cette période reculée, parler de véritable chasse? Elle est peu probable, surtout dans le cas des grands mammifères. Cependant, il n'est pas exclu qu'à l'instar des chimpanzés, une chasse au petit gibier puissent avoir été pratiquée. Quoi qu'il en soit, il faudra quelques millénaires encore pour que l'Homme soit en mesure de s'adapter pleinement aux conditions de son nouvel environnement, adaptation qui touche autant ses capacités physiques que mentales et techniques.

Il faut souligner que les défis liés à la pratique de la chasse au gros gibier sont en effet énormes: il fallut que l'Homme apprenne à concurrencer les carnivores qui occupaient déjà le terrain, qu'il mette au point des armes efficaces pour compenser les faiblesses physiques de son corps et qu'il s'assure une protection suffisante, une fois la capture d'un animal réalisée. Compte tenu du potentiel alimentaire offert par la savane, il ne fait aucun doute que la chasse, comme stratégie de survie, fut pour les premiers hominidés, une voie d'expérimentation et de développement sans précédent.

Si la consommation de viande est attestée, il est également certain que les fruits et les graminées firent longtemps partie de l'alimentation de base des premiers humains. En fait, les plantes représentent une source stable de nourriture, en comparaison avec la viande qui dépend, d'abord et avant tout, de l'efficacité de la chasse ou du hasard de la découverte d'une carcasse animale. Ainsi, les premiers humains furent-ils d'abord des cueilleurs et des nécrophages avant de devenir des chasseurs.

Quant à l'habitat, il est a toute fin pratique inexistant à l'exception, peut-être, de ces "murs" circulaires en pierre que les archéologues ont mis à jour près des points d'eau et qui devaient servir à protéger le groupe contre les autres prédateurs de la savane au moment de la consommation de gros gibier.

Avec *Homo erectus*, le successeur d'*Homo habilis*, l'Homme quitte les régions de l'Afrique et se lance à la conquête de l'Europe et de l'Asie. Ce faisant, il découvre de nouvelles

contrées et doit s'adapter à des environnements très diversifiés. Au Proche-Orient, sa présence est attestée dès 900,000
ans en Israël (le site d'Ubeidiya), puis en Syrie du Nord, au
Liban et en Jordanie. Il s'aventure également vers les régions
européennes où l'industrie acheuléenne qui le caractérise se
généralise à partir de 700,000 ans. Grâce au feu qu'il
apprend à contrôler, il peut plus facilement faire face aux ri-
gueurs du froid, surtout lors de la période glaciaire de Mindel (entre 600,000 et 370,000 ans)[1].

Sur le plan technique, *Homo erectus* améliore et diversifie
l'outillage de pierre de ses prédécesseurs. Le biface, en
forme de pointe ou d'amande, en devient l'instrument distinctif. Il utilise également des armes en bois (lance dont la
pointe est peut-être durcie au feu, et massue). Quant à l'habitat, il semble déterminé à la fois par les possibilités qu'offrent l'environnement et les conditions climatiques. En Afrique, où les zones tropicale et subtropicale favorisent la vie
en plein air, les groupes humains s'installent en des lieux
temporaires, près des cours d'eau ou à proximité des dépôts
rocheux qui leur servent de sources de matières premières.
Parfois, comme c'est surtout le cas en Europe et dans le
Couloir syro-palestinien, ils occupent des grottes naturelles,
probablement de façon saisonnière. Sur certains sites, on
trouve des traces de murets de pierre ou d'éléments servant
à soutenir de modestes abris de branchages.

---

1. L'utilisation du feu remonterait à environ 400,000 ans, c'est-à-dire au cours de
la glaciation de Mindel. Même s'il est difficile, sur la base des traces archéologiques,
d'évaluer l'impact réel de la domestication du feu pour cette période du Paléolithique inférieur, il est certain qu'à partir de l'époque suivante, le feu allait jouer un
rôle capital tant dans l'alimentation que dans le domaine des techniques. Pour le
moment, l'on peut imaginer qu'à l'origine, le feu contrôlé permit à l'Homme à la
fois de s'éclairer et de se chauffer. Par contre, ce n'est pas une condition *sine qua
non* pour son occupation des territoires nordiques, plus froids.

De façon générale, les progrès sont lents, mais très significatifs quant au long terme. Ainsi, *Homo erectus* apprend graduellement à connaître son environnement; il accumule les expériences nouvelles et assure le développement de son intelligence, préparant le terrain pour l'étape historique suivante: celle des Sapiens.

À partir de 200,000 ans environ, une nouvelle "humanité" fait son apparition: les *Présapiens sapiens*. Graduellement, ils remplacèrent *Homo erectus*, transformant dans un premier temps les anciennes technologies de l'acheuléen, puis en en créant de nouvelles, celles connues sous le nom de Moustérien. Pour les archéologues, cette longue phase historique porte le nom de Paléolithique moyen (de 100,000 à 35,000 ans environ), période qui s'inscrit d'abord en continuité avec la précédente.

Si l'Europe constitue la zone habitée de prédilection pour les *Néandertaliens*, avec une extension vers le Proche-Orient, l'Afrique connaît d'autres *Présapiens sapiens*. À l'analyse des restes fossiles, il est en effet permis de penser que *Homo erectus* évolua en plusieurs endroits différents (Europe, Afrique, Asie), donnant plusieurs rameaux de *Présapiens sapiens*. Par contre, une certaine unité culturelle semble exister entre l'Europe, l'Afrique du Nord et l'Asie Occidentale Ancienne de sorte que, tout en tenant compte des disparités régionales, un tableau d'ensemble sur la vie quotidienne au Paléolithique moyen demeure possible. En voici les principaux éléments.

En Europe, le climat connaît des changements majeurs au cours de la période. À partir de 85,000 ans, une nouvelle glaciation, celle de Würm, frappe une bonne partie du territoire. Jusque vers 10,000, les glaciers vont et viennent, couvrant au Nord la Scandinavie et la majeure partie des Iles britanniques[1], ainsi qu'une vaste région à partir du glacier alpin. Les rudes hivers qui s'ensuivent imposent donc des conditions de survie très difficiles aux Hommes d'alors, qui habitent la toundra ainsi que les zones mixtes de steppes et de forêts de l'Europe continentale. Cependant, les améliorations apportées à l'outillage ainsi que la confection de vêtements, l'usage du feu et la construction d'abris, favorisent une adaptation plus efficace des groupes humains à leur environnement. Parallèlement, la transformation des techniques de la chasse rend possible une exploitation plus rationnelle des troupeaux d'animaux sauvages (mammouths, rennes, chevaux et autres), ce qui permet de compenser pour l'absence de bois (on utilise alors les os) et la diminution des ressources alimentaires végétales (les étés étant très courts).

L'*Homme de Néandertal* n'a rien de commun avec cet être primitif et grossier, renfermé au fond de sa caverne, tel que nous le renvoie encore cette vision classique de l'Homme préhistorique. Grâce à son intelligence, il travaille la pierre plus efficacement. Au lieu de fabriquer un seul outil à partir d'une pierre, dont des éclats ont été enlevés pour obtenir une pointe ou un tranchant, il utilise plutôt les éclats eux-mêmes. C'est la technique dite du "Levallois", nom tiré d'un site archéologique situé en France. Ce faisant, l'Homme augmente considérablement sa productivité: avec un kilogramme de pierre, ses prédécesseurs acheuléens fabriquaient l'équivalent de 50 cm de côté tranchant; grâce à la nouvelle technique, il en tire cinq fois davantage, c'est-à-dire environ 2.2 mètres. En outre, en retravaillant les contours, par petits coups et en écailles, il arrive à produire des outils plus raffinés, plus complexes, et mieux adaptés à ses besoins grandissants.

---

1. Les glaces atteignent parfois les régions où se trouvent actuellement Londres et Hambourg.

Une étude attentive de cet outillage permet de constater que l'*Homme de Néandertal* ne travaille pas mécaniquement, au hasard. Il possède des modèles de référence; il standardise ses gestes et son produit. Il planifie en fonction d'usages bien précis. Cette appréhension intellectuelle de ses rapports avec la Nature va encore plus loin. Nous ne saurons probablement jamais l'attitude qu'avait *Homo erectus* devant la mort. Il n'enterrait point ses morts; peut-être les isolait-il des prédateurs en les cachant dans les arbres. Par contre, avec l'*Homme de Néandertal*, l'inhumation volontaire apparaît.

Compte tenu de la grande diversité des pratiques funéraires qu'illustre la trentaine de tombes découvertes à ce jour, force nous est de reconnaître l'extraordinaire bouillonnement spirituel des Hommes de cette époque. Il s'exprime par un matériel funéraire varié, ainsi que des modes d'inhumation qui sont loin d'être uniformes. En certains endroits, le défunt est recouvert de fleurs; ailleurs, le fond de la fosse est tapissé de sapinage; ici, on l'a orné de parures (de petits coquillages); là, il est accompagné d'outils de pierre ou d'os; parfois, les corps sont placés en position foetale alors qu'on les retrouve également couchés sur le dos. Il n'est pas exclu que la poudre d'ocre rouge retrouvée sur certains défunts, tout comme la présence d'objets usuels placés auprès d'eux, puissent avoir servi de rituels particuliers, dénotant une certaine croyance en la survie. Quoi qu'il en soit, le soin apporté à leurs morts (homme, femme ou enfant) par les *Néandertaliens* se "raccroche" directement aux attitudes nettement religieuses qui marqueront l'approche de la mort chez les futurs *Homo sapiens sapiens*.

Quant à l'organisation sociale des Hommes du Paléolithique moyen, nous en sommes toujours réduits aux conjectures. Cependant, nous possédons quelques indications qui permettent de lever partiellement le voile sur la question. Il existe,

en effet, quelques sépultures contenant des individus dont
l'état de santé physique devait fortement laisser à désirer. Il
y a cet exemple du "Vieil homme", trouvé à La Chapelle-aux-
Saints en France, et qui souffrait d'une côte brisée, d'arthrite
à la hanche et d'une grave maladie aux vertèbres. Il est clair
que cet individu n'était pas en mesure de rendre les services
auxquels la communauté devait s'attendre, tel la chasse ou la
taille des outils. Qui plus est, ses gencives étaient durement
attaquées de sorte qu'ayant perdu plus de la moitié de ses
dents, sa mastication devait être rendue très pénible. Malgré
tout, la communauté a conservé cet individu malade en son
sein, s'est occupé de ses besoins et l'a ultimement enseveli.
Voilà un exemple de cette solidarité "sociale" qui s'est peut-
être développée chez les *Présapiens* et qui annonce l'altruisme des Hommes des âges à venir.

En Afrique du Nord, et plus particulièrement dans la vaste
région de la vallée du Nil, la situation climatique et, par conséquent, environnementale, se présente de façon quelque
peu différente de celle de l'Europe. Suivant grosso modo le
rythme de la glaciation nord-européenne, se succèdent de
longues périodes de pluies et de sécheresses. Entre 50,000 et
30,000 ans, le Sahara connaissait d'abondantes pluies qui
transformèrent la région en une zone luxuriante, avec ses
lacs, ses ruisseaux et ses vastes étendues herbeuses. C'est
durant cette période que l'industrie du Moustérien (celle qui
caractérise le Paléolithique moyen en Europe) se répandit.

Parallèlement, entre 45,000 et 25,000 ans, une autre culture
lithique, l'Atarien, fit son apparition. Très sophistiquée, les
spécialistes l'ont considérée longtemps comme postérieure
(comme si, même pour ces temps reculés, seule l'Europe
pouvait innover!). En réalité, l'Atarien utilise des techniques
levalloises pour le travail de la pierre, mais produit une sorte

de longue lame qui devait servir de pointe de lance[1]. Dans ces conditions, la chasse au gibier de la savane saharienne[2] s'en trouva fortement améliorée, permettant une adaptation fort efficace de ces chasseurs à leur environnement. Ainsi, l'Afrique du Nord se caractérise-t-elle par la présence de cultures variant d'une région à l'autre, un peu à l'image des époques postérieures où chasseurs, éleveurs, jardiniers itinérants et agriculteurs se divisèrent le territoire.

À partir de 35,000 ans, la zone saharienne amorça une nouvelle période de sécheresse. Les anciens *Présapiens sapiens* avaient depuis longtemps disparu et leurs descendants, les Hommes modernes durent se rabattre sur les oasis pour assurer leur subsistance. Entre autres régions accueillantes, il y avait la vallée du Nil. Déjà couverte de sites moustériens et atariens, elle allait bientôt devenir un lieu privilégié dans l'histoire humaine.

Un dernier point: la question du développement du langage. Il est évident que ce dernier joua un rôle capital dans le processus d'hominisation. Or, comment apprécier avec justesse un phénomène qui, à la différence de l'outillage, laisse aussi peu de traces visibles? Comment le langage est-il apparu? Dans quel contexte? Quelles ont été les étapes de son développement? Quel en a été l'impact sur le processus d'hominisation lui-même? Voilà quelques-unes des questions que divers types de spécialistes ont tenté et tentent encore d'élucider: psychologues, linguistes, archéologues, anthropologues physiques et préhistoriens. Voyons rapidement ici les princi-

---

1. Il ne peut en fait s'agir de pointes de flèches comme certains auteurs le croient encore aujourd'hui. Les lames sont beaucoup trop grosses pour cet usage et les premières traces de l'arc sont de beaucoup plus tardives: environ 10-12,000 (attesté en Égypte).

2. Gazelle, bovidé, antilope, chacal.

pales conclusions qui se dégagent actuellement de leurs recherches.

La possibilité de communiquer verbalement et physiquement n'est pas le propre de l'Homme. Bon nombre d'animaux sont capables de faire passer des messages par l'entremise de cris ou même par le biais de gestes particuliers. Cependant, seul l'Homme peut construire des phrases, c'est-à-dire ordonner les mots en fonction d'une structure grammaticale spécifique. Les études récentes portant sur l'expression symbolique des chimpanzés et des gorilles ont fait la démonstration non seulement de leur grande intelligence mais, en même temps, de cette capacité que devaient posséder nos lointains ancêtres à créer des mots et à lier certains d'entre eux pour exprimer des idées plus complexes. Il est donc possible que, par exemple, *Homo habilis* et *Homo erectus* puissent avoir jeté les bases du langage plus sophistiqué que l'on retrouve aux époques ultérieures.

Cette possibilité est d'autant plus probante que leur mode de vie ainsi que le développement des technologies de la pierre l'ont certainement favorisée. La coopération et la coordination que ces activités réclament ont pu servir graduellement de stimuli, menant ces *Hominidés* à perfectionner leurs moyens verbaux de communication. Le grand pas dans cette évolution a dû se réaliser avec les *Présapiens sapiens*. Avec ces derniers, le volume crânien permet plus d'espace pour la mémoire ainsi que pour le développement des parties du cerveau responsables de la parole et de la pensée. Il semble que les cavités crâniennes de Broca et de Wernicke, sièges de ces activités, connaissent un élargissement significatif, surtout à partir d'*Homo erectus*.

Avec les *Néandertaliens*, la maîtrise d'un langage complexe est donc assurée. À la lumière de leur attitude face à la mort, où symbolisme et rituel semblent s'exprimer clairement sous leurs premières formes, nous pouvons déduire qu'à partir de cette période, le langage humain est définitivement acquis. L'Homme moderne le raffinera en le complétant de ses qualités d'abstraction que son art pariétal, entre autres, manifeste avec tant de vigueur.

GUIDE DE LECTURE

Collectif d'auteurs
HISTOIRE GÉNÉRALE DE L'AFRIQUE.
I. MÉTHODOLOGIE ET PRÉHISTOIRE AFRICAINE.
Présence africaine, Édicef, Unesco 1986.

Coppens, Yves
PRÉ-AMBULES. LES PREMIERS PAS DE L'HOMME.
Éditions Odile Jacob, Paris 1988.

Ducros, Albert et Jacqueline
LA PRÉHISTOIRE. Nouvelle Encyclopédie Nathan, Paris 1985.

Guilaine, Jean (éditeur)
LA PRÉHISTOIRE: D'UN CONTINENT À L'AUTRE.
Librairie Larousse, Paris 1989.

Jelinek, Docteur Jan
ENCYCLOPÉDIE ILLUSTRÉE DE L'HOMME PRÉHISTO-
RIQUE. Gründ, Paris 1975.

Jolly, Clifford J. et Fred Plog
PHYSICAL ANTHROPOLOGY AND ARCHAEOLOGY. (4e
édition). Alfred A. Knopf, New York 1987.

Leroi-Gourhan, André
DICTIONNAIRE DE LA PRÉHISTOIRE. Presses universitai-
res de France, Paris 1988.

Sklenar, Karel
LA VIE DANS LA PRÉHISTOIRE. Gründ, Paris 1985.

3

LE GRAND BOND EN AVANT

Les fresques de Lascaux, qui illustrent si magnifiquement cette compréhension que l'Homme "préhistorique" a acquise de la Nature, datent de 17,000 ans. Elles appartiennent en propre à l'*Homo sapiens sapiens* dont les premières traces en Europe remontent à 40,000 ans environ. Or, en l'espace de cinq millénaires, l'*Homme moderne* s'impose et réussit à occuper tous les espaces habitables de la planète. Avec lui, l'évolution technique et culturelle s'accélère à un point tel qu'en moins de 35,000 ans, c'est l'histoire même des *Hominidés* qui se trouve profondément transformée: les communautés humaines se multiplient à un rythme jamais vu jusqu'alors; l'élevage et l'agriculture sont graduellement "inventés" et transforment les bases qui avaient, pendant des millénaires, assuré la subsistance des Hommes; les premiers métaux (or, argent et cuivre) sont exploités, élargissant l'éventail des matériaux servant à la fabrication de l'outillage; les premiers villages sont construits, avec tout ce que ce phénomène implique et entraîne dans le développement social et politique des communautés; l'écriture trouve ses modes picturaux d'expression, annonçant les raffinements ultérieurs des moyens de communication et de conservation de l'information; puis, les premières grandes civilisations classiques du Proche-Orient (Égypte pharaonique et Sumer) émergent et prennent l'initiative d'une nouvelle transformation de l'histoire. Véritable "grand bond en avant", cette période de l'Histoire de l'humanité verra donc les sociétés humaines se complexifier; à tous les niveaux, elles développent et élargissent leurs rapports avec la Nature (autant dans le cadre de leurs activités techniques qu'économiques et intellectuelles), ainsi que les rapports des individus entre eux (quant à l'organisation et la hiérarchie sociales).

Ainsi, après quelque 70 millions d'années d'histoire, l'évolution des primates semble atteindre sa finalité ultime: la possibilité, par la conscience, de comprendre et de transcender la Nature et, par conséquent, de la transformer. Et, comme nous l'avons maintes fois souligné, cette activité "transformante" n'exclut pas l'Homme lui-même, en tant que produit de la Nature. Dans ce long cheminement qui mena des premiers *Simiens* jusqu'à nous, en cette fin du second millénaire de notre ère, l'*Homo sapiens sapiens* allait jouer le dernier acte, protagoniste et témoin d'une accélération sans précédent de l'Histoire humaine.

1. L'HOMME MODERNE

De façon générale, lorsque nous pensons à la Préhistoire, nous imaginons spontanément des hommes aux cheveux longs et épais, vêtus de peaux, habitant soit des cavernes, soit des abris de branchages, chassant, dans la neige et le froid, le mammouth ou le renne, fabriquant des outils en pierre, et passant leurs rares moments de loisirs à peindre, sur les parois des grottes, des scènes de chasse et d'animaux divers.

Au cours du chapitre précédent, nous avons pu constater que le processus historique des origines de l'Homme était fort complexe et que la longue durée de la Préhistoire ne pouvait se réduire à ces images quelque peu schématiques qui habitent encore notre imaginaire culturel. Par contre, s'il est une époque où ces clichés impressionnistes semblent correspondre à une certaine réalité, c'est bien celle des premiers millénaires de l'histoire de l'*Homme moderne*. En effet, lorsque ce dernier quitte l'Afrique du Nord et le Proche-Orient pour "conquérir" les autres continents, c'est d'abord une Europe en pleine ère de glaciation qu'il découvre[1]. Déjà porteur de la culture matérielle de ses prédécesseurs, il s'éparpille rapidement vers l'Ouest et vers l'Est, sur l'ensemble du territoire européen[2]. Là, vivant dans les conditions difficiles d'un climat que les Néandertaliens avaient appris à "apprivoiser", l'*Homme moderne* s'adapte avec une étonnante efficacité. Pour ce faire, il met à profit les acquis techniques et intellectuels de ses prédécesseurs et en révolutionne les composantes. En moins de 5,000 ans, il est partout, créant des sociétés de chasseurs de gros gibier et, en même temps, remplaçant sans équivoque les anciens occupants, les *Néandertaliens*.

Parmi les questions qui retiennent depuis longtemps l'attention des spécialistes quant à l'implantation de l'*Homme moderne*, il y a celle des modalités de la disparition des *Néandertaliens*. Les données archéologiques indiquent en effet qu'à l'échelle temporelle de la Préhistoire, cette disparition fut aussi soudaine que totale. Doit-on conclure que les anciennes populations ont été les victimes d'une catastrophe particulière, épidémie, guerre d'extermination, cataclysme naturel, ou autre? À l'analyse des données disponibles, aucune piste ne semble s'orienter vers un modèle explicatif de

---

1. Il s'agit de la dernière phase de la glaciation de Würm qui s'étend entre 33,000 et 9,000 ans avant notre ère.

2. Vers l'Orient, il dirige ses pas vers les confins de la Sibérie, puis en Amérique, alors que vers le Sud-Est, il se lance vers la Mélanésie et l'Australie. Ultimement, il se répandra sur l'ensemble des îles du Pacifique.

ce genre. Par contre, certains indices[1] permettent de penser que, dans le temps court, les deux groupes d'*Homo sapiens* ont été des contemporains, vivant côte à côte, et partageant les mêmes expériences.

Soulignons que, sur le plan génétique, les deux *Homo* sont identiques, même si physiquement ils sont suffisamment différents en stature et en apparence pour s'exclure l'un l'autre. Pensons ici aux contacts entre populations différentes lors de l'expansion coloniale des XVIe - XVIIe siècles pour comprendre comment des groupes humains éloignés par la race, la langue et la culture peuvent en arriver à se repousser, au profit évident du groupe le plus fort. Cependant, cette dynamique des relations inégales n'a pas exclu le métissage occasionnel, ce qui a pu certainement se dérouler lors de la rencontre des *Homo sapiens sapiens* avec leurs prédécesseurs *néandertaliens*. En l'absence d'informations supplémentaires, force nous est d'imaginer plusieurs scénarios où les *Homo sapiens* ont graduellement laissé la place aux *Hommes modernes*, soit par évolution biologique[2], soit par extinction devant des groupes technologiquement plus avancés, soit encore par métissage. À ce niveau, l'évolution de la technologie de l'*Homme moderne* en Europe montre la présence d'un schème culturel de base, une sorte de culture spécifique qui le distingue de ses prédécesseurs; mais en même temps, on assiste à un renforcement des variantes locales déjà existantes et des cultures régionales, ce qui n'est pas sans exprimer la présence d'une continuité certaine avec le passé. En ce sens,

---

1. Comme le squelette d'un *Néandertalien* trouvé à Saint-Césaire en France, et qui pratiquait une technologie typiquement reliée au Paléolithique supérieur.

2. Ici, deux modèles s'affrontent: le premier, prônant une origine unique, africaine (ce que confirmerait l'étude de l'ADN); le second où des *Homo sapiens* en Afrique, en Europe et en Asie auraient évolué en *Homme moderne*, puis se seraient graduellement partagé le nouveau pool génétique à travers les rencontres et les échanges.

il est permis de dire que les *Néandertaliens* n'ont pas été exterminés: ils perdurent à travers l'*homme moderne* qui a hérité à la fois de leurs réalisations et de leur structure génétique[1].

2. CIVILISATION ET SOCIÉTÉ AU PALÉOLITHIQUE SUPÉRIEUR

Afin de bien identifier les différences géo-climatiques et culturelles qui existent entre l'Europe et le Proche-Orient (l'Afrique du Nord-Est comprise), nous allons subdiviser notre approche selon ces deux grandes zones géographiques.

A) L'EUROPE ET L'HOMME DE CRO MAGNON

La Révolution industrielle qui frappe l'Europe à partir de la fin du XVIIIe siècle de notre ère ne se comprend que par l'interaction d'un ensemble de changements; ces derniers touchent autant les moyens de production (la technologie, avec la navette volante dans la production textile; l'énergie, avec la vapeur; l'organisation du travail, avec la manufacture) que la structure de la société (le développement de nouvelles classes sociales, modifiant ou remplaçant les anciennes) et l'économie capitaliste (monnaie, système bancaire, travail salarié), voire même l'émergence de nouvelles formes de pensée (dont la pensée scientifique). Par analogie, nous pouvons dire que le Paléolithique supérieur constitue une phase

---

1. Sur ce dernier point, nombre de spécialistes soulignent la forme particulière du nez des Européens qui n'est pas sans rappeler celui, très "présent", des *Néandertaliens*.

71

de bouleversements aussi fondamentaux qui, à long terme, vont permettre l'éclosion de nouvelles façons de vivre et, partant, de nouveaux types de sociétés humaines. En effet, l'*Homme moderne* transforme radicalement ses moyens de production et ses possibilités de survie grâce au bond en avant gigantesque qu'il imprime à la technologie de la pierre taillée. En même temps, c'est toute sa structure sociale ainsi que son imaginaire qui se trouvent impliqués dans le mouvement évolutif.

La civilisation matérielle des hommes de cette période repose sur la nouvelle technologie de la lame, nommée *leptolithique*. Elle représente un progrès substantiel sur celle de l'éclat dans la mesure où elle permet de dégager, en peu de temps et d'une seule pierre de silex, un nombre impressionnant de petites lames. Une fois dégagées, ces dernières servent ensuite de matériau de base pour la fabrication d'une foule d'outils divers dont le principal est le burin. Ce dernier occupe une place importante dans l'outillage dans la mesure où il permet de ciseler et de graver des matériaux qui étaient depuis longtemps disponibles mais dont on n'avait guère fait usage jusqu'alors: le bois tendre, l'ivoire, la corne[1] et l'os. Grâce à ce nouvel outil, l'Homme put fabriquer des instruments tels que l'aiguille à coudre, le propulseur, le harpon, ainsi que des objets de parure (perles et bracelets). Par exemple, avec le perçoir, il devenait possible de trouer adéquatement le rebord des pièces de peau et ensuite, à l'aide de l'aiguille à coudre, d'assembler les morceaux pour en fabriquer des vêtements et des couvre-pieds divers.

---

1. Le bois de renne était un matériau facilement accessible compte tenu du fait que, chez l'animal, il est remplacé annuellement. Son usage se répandit donc, et permit la fabrication d'une foule d'instruments plus petits mais très solides.

L'industrie leptolithique représente une amélioration technologique très sensible, non seulement par rapport au temps de

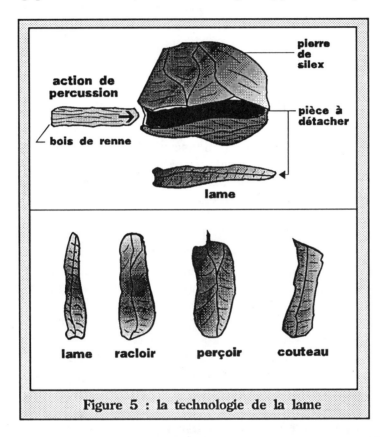

Figure 5 : la technologie de la lame

travail requis, mais également dans le domaine de la diversifi-
cation des tâches. En effet, comme nous l'avons déjà signalé,
la fabrication de l'outillage au Paléolithique moyen avait déjà
amélioré de façon remarquable la productivité (quantité de
matière première / temps de travail / résultat): un kilogramme de silex donnait plus de deux mètres de tranchants utiles
(pour 50 centimètres au Paléolithique inférieur). Avec la
technique de la lame, le tailleur de pierre réussit à obtenir

de six à vingt mètres de côté tranchant. Qui plus est, les lames se prêtent à une foule de modifications simples par frottement et usure de sorte que, compte tenu de la minceur de la pierre, le tailleur peut facilement lui donner la forme recherchée: un côté très acéré pour un couteau; le dégagement d'une fine pointe pour un perçoir; une pointe plate et en biseau pour le burin.

Il s'ensuit donc un impact direct à la fois sur la nature et la variété des tâches qui assurent la survie des communautés humaines. Nous avons mentionné plus haut celles reliées à la fabrication des vêtements. Dans le domaine de la chasse, l'invention du propulseur modifia le rapport qui existait entre le chasseur et sa proie. En effet, depuis longtemps, les groupes humains de l'Ouest de l'Europe avaient dû se rabattre sur les grands troupeaux qui occupaient les montagnes ou sillonnaient la toundra: le cerf commun, le cheval, le renard polaire, le bouquetin et le renne. Ailleurs, plus à l'Est, on chassait le mammouth, le rhinocéros laineux, le porc et le bison. Le gibier par excellence durant la longue période froide du Paléolithique supérieur fut sans conteste le renne. Transhumant en larges troupeaux, ces cervidés constituaient une source primordiale de nourriture et de matières premières pour les chasseurs. Il n'est donc pas étonnant que les préhistoriens qualifient cette phase historique d'*Âge du renne*!

Pour attraper le gros gibier, il fallait habituellement se mettre à plusieurs afin d'encercler l'animal ou de le traquer lors du passage d'un cours d'eau ou d'une étroite vallée. L'opération requérait beaucoup de temps et force patience. Or, avec l'introduction du propulseur de sagaie, un seul chasseur pouvait abattre un animal, tout en gardant une distance respectable entre lui-même et le gibier[1]. Ainsi, le chasseur ne risquait plus d'être grièvement blessé ou tué par l'animal. En outre, le temps/homme dépensé pour obtenir la nourriture nécessaire à la communauté s'en trouva considérablement abaissé, laissant davantage de temps pour les "loisirs" collectifs ou pour la réalisation d'autres tâches.

L'ensemble des données que nous possédons sur les techniques et les résultats de la chasse au gros gibier du Paléolithique supérieur permettent d'affirmer que, dès cette époque, les hommes procédaient à une exploitation rationnelle des troupeaux disponibles. Sans parler comme tel de domestication, il est clair qu'ils connaissaient très bien les habitudes de vie de leurs proies; ils étaient au courant des routes de passage empruntées, selon les saisons, par les différents troupeaux, ainsi que des régions qui fournissaient les végétaux leur servant de source alimentaire. Dans certains cas, comme le cheval et le chien, la relation homme/animal semble aller rapidement plus loin, dans lequel cas une domestication hâtive est probable (entre 15,000 et 10,000 ans).

À une époque où les glaciations imposaient de dures limites à la survie de l'Homme, la chasse au gros gibier illustre toute son importance. Tout de l'animal servait: la viande, la peau, les tendons, les os et les bois. À la manière des Inuits ou des Lapons, le mode de vie des groupes humains du Paléolithique supérieur s'appuyait presque exclusivement sur cette activité principale. Par contre, lors des courts étés, ils pouvaient s'adonner à la pêche[2], à la cueillette des fruits et des plantes disponibles, ou à la chasse aux oiseaux.

---

1. Le chasseur pouvait de la sorte atteindre et tuer un renne situé à une distance de 30 mètres environ.

2. Comme le démontrent les nombreux harpons découverts.

Si le nomadisme constitue le mode de vie de base de nombreuses sociétés de chasseurs/cueilleurs, il semble certain que d'autres ont occupé, en bandes, des endroits relativement fixes, sur des périodes plus ou moins longues: grottes, tentes de peaux avec structures de bois ou d'os de mammouth et cabanes de branchage. À l'intérieur des cavernes, qui servent de refuge durant les périodes hivernales, les Hommes construisent même des abris légers, adossés à l'une de ses parois. Ce faisant, l'espace habité est réduit à une dimension plus "humaine": les individus se rapprochent, favorisant d'autant les échanges et la collaboration. Nous pouvons les imaginer blottis autour du foyer, observant avec fascination l'ombre des flammes qui dansent sur le mur en pierre de leur "maison" tel un troupeau de rennes en mouvement, se racontant les prouesses de la dernière chasse ou invoquant quelques forces secrètes et mystérieuses afin d'éloigner les angoisses d'une disette toujours menaçante. L'on ne peut sous-estimer le rôle de l'habitation dans le développement de la solidarité familiale.

La nature de l'organisation sociale des premiers Hommes du Paléolithique supérieur nous échappe toujours. Cependant, certains sites de cette période montrent que des regroupements de bandes commencent à se réaliser. Auparavant, une trentaine de personnes tout au plus partageaient un même habitat. Maintenant, il est question de 300, voire même de 500 individus vivant côte à côte. Nous ne pouvons affirmer avec certitude s'il s'agit de regroupements permanents, comme ils apparaissent ultérieurement. Par contre, il peut s'agir de bandes voisines habitant une région donnée et qui, occasionnellement, se regroupent pour procéder à une chasse, pour trouver des époux et des épouses, pour échanger des biens, ou autres. À partir de phénomènes sociaux identiques retrouvés chez les chasseurs/cueilleurs et révélés par l'anthropologie, on peut facilement imaginer l'importance de cette socialisation élargie des bandes sur le plan de la circulation de l'information et des habilités techniques. À un autre niveau, surtout lorsque la tendance de ces regroupements fut à la permanence, la nécessité de l'organisation "politique" des diverses bandes a dû se poser, conduisant à la mise au point de nouvelles structures, tels le clan et la tribu, sur la base des règles de mariage et d'appartenance déjà existantes. De plus, des indices archéologiques permettent d'envisager à un début de hiérarchisation sociale avec la présence de chefferies, probablement temporaires. En effet, nombre de spécialistes n'hé-

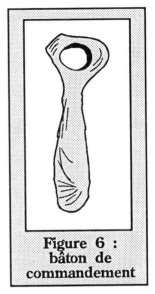

Figure 6 : bâton de commandement

sitent pas à qualifier ces bâtons troués, fait de bois de renne, que l'on trouve à partir de 15,000 environ, comme étant des bâtons de commandement. Si tel est le cas, ces objets seraient l'expression d'un processus "politique" qui n'est pas sans relation avec ce que révèle l'étude des sociétés pré-étatiques et l'apparition des chefferies temporaires.[1]

Puis, très lentement, et par bonds, le climat s'adoucit. À partir de 12,000 ans environ, l'hémisphère nord voit les glaces se retirer et laisser place à une couche végétale plus luxuriante et variée, davantage accueillante pour les divers groupes humains: la forêt. En l'espace de 4 à 5,000 ans, la civilisation du renne disparaît au profit d'une autre, de plus en plus orientée vers la production, mais pas encore néolithique: celle du microlithe.

---

1. Ce que nous aborderons plus loin dans le cadre des sociétés de la région de Sumer, en Mésopotamie, au IVe millénaire avant notre ère.

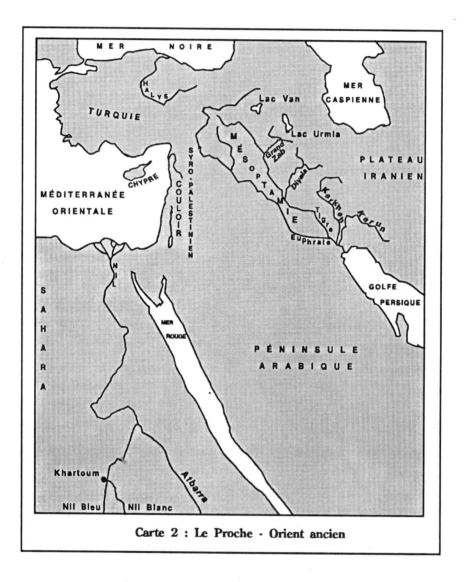

Carte 2 : Le Proche - Orient ancien

B) LE PROCHE-ORIENT

Précisons d'abord notre aire géographique. À partir de maintenant, nous allons nous attarder sur la région du Proche-Orient, celle qui, ultimement, nous amène aux premières grandes civilisations. Or, un premier éclaircissement s'impose: que faut-il entendre par *Proche-Orient*? Afin d'éviter les ambiguïtés terminologiques qui existent sur le sujet, nous retiendrons la définition suivante: le *Proche-Orient* englobe la vaste région qui est bordée à l'Ouest par le Sahara et la Méditerranée orientale; au Sud, la ligne de démarcation passe à la hauteur de Khartoum, capitale actuelle du Soudan, voyage vers l'Est, au Sud de la péninsule arabique, et englobe le Golfe persique; à l'Est, la limite s'établit aux confins du plateau iranien; vers le Nord, elle se trouve sur la Mer Noire et la Mer Caspienne. Par contre, pour des raisons géographiques et historiques, nous devons subdiviser le Proche-Orient en deux grandes régions principales: d'une part, il y a la vallée du Nil, donc l'*Égypte*, et d'autre part, l'*Asie occidentale ancienne*, qui correspond au reste du Proche-Orient. Cette deuxième partie comprend à son tour un certain nombre de sous-régions que nous reverrons plus loin et que nous nous contenterons pour le moment d'identifier: la péninsule arabique, le Couloir syro-palestinien, la zone de la Turquie (Asie Mineure, plateau d'Anatolie), la Mésopotamie et le plateau iranien.

LA VALLÉE DU NIL

Autour de 40,000 ans avant notre ère, la partie Nord-Est de l'Afrique était habitée par diverses communautés de chasseurs/cueilleurs, la majorité d'entre elles tirant l'essentiel de leur subsistance de la chasse au gibier de la savane. La vallée du Nil ne fait pas exception; nombre de sites situés sur les terrasses du fleuve[1] attestent du rattachement de la vallée aux cultures paléolithiques d'Afrique du Nord.

Bien arrosée et luxuriante, la vallée vit bientôt s'établir de nouveaux groupes de chasseurs qui s'orientèrent peu à peu vers l'exploitation de la richesse de ses eaux, faisant du produit de la pêche une source alimentaire complémentaire à celle fournie par le gibier et les plantes. Ainsi, se développa une nouvelle culture, du nom de Khormusien[2], dont les sites sont essentiellement nilotiques. Sans grands contacts avec les autres communautés de la vallée, les *Khormusiens* développèrent une tradition culturelle différente de l'autre, atérienne[3], qui s'était installée à la frange de la vallée et dont les origines étaient essentiellement tournées vers la savane. Pendant une dizaine de millénaires, les deux groupes culturels se recoupèrent dans le temps.

Puis, à partir de 35-30,000 ans, le régime des pluies se modifia et la région du Sahara se transforma en désert. Certains groupes *atériens* de la savane durent sans doute disparaître, aux prises avec un milieu de plus en plus hostile, alors que d'autres s'accrochèrent d'abord aux oasis longeant la vallée du Nil à l'Ouest, pour finalement s'installer à leur tour le long du fleuve. Avec la diminution des pluies et l'assèchement graduel des régions du Sahara, la vallée du Nil devint inévitablement une zone d'attraction et de refuge particulièrement intéressante pour les hommes comme pour les animaux.

---

1. Au cours des millénaires, le fleuve a graduellement creusé son lit dans la roche tendre de la croûte terrestre, créant ainsi des terrasses surplombant le fleuve et à l'abri des crues annuelles.

2. Nom tiré de Khor Musa, situé non loin du Nil dans la région de Wadi Halfa, immédiatement au Nord de la seconde cataracte.

3. Du nom du site de Bir el'Ater, situé dans la région Est de l'Algérie.

En s'adaptant aux nouvelles conditions imposées par les changements climatiques survenus en Afrique du Nord, les cultures locales de la vallée se diversifièrent au fil des siècles. Certaines conservèrent des industries plus anciennes; d'autres les transformèrent. L'évolution humaine n'est en rien unilinéaire et les diverses expériences humaines ne sont soumises à aucun déterminisme. C'est ainsi qu'au Sud de la vallée[1], apparut la technologie du microlithe, la première du monde à se développer. Elle constitua, entre 15,000 et 10,000, un véritable bond en avant dans le processus évolutif des communautés humaines.

En effet, la fabrication des microlithes, ces petites pierres taillées aux côtés très tranchants, ne nécessitait qu'une quantité infime de matière première, comparativement au volume plus important des lames des époques antérieures. En outre, les microlithes entraînèrent la mise au point d'une toute nouvelle gamme d'outils et d'armes: les objets composites. Utilisant le bois ou l'os comme support, il devint dès lors possible de produire des flèches et des harpons d'une grande efficacité tout en conservant la légèreté nécessaire à une manipulation adroite. Insérés dans un manche allongé ou recourbé, les microlithes purent former une suite de tranchants fort efficaces dans le cadre de la cueillette des graminées sauvages. Sur ce dernier point, il n'est pas étonnant que l'usage de la faucille ait occasionné une extension importante de la cueillete des plantes à la fin du Paléolithique supérieur, favorisant en même temps, dans la vallée du Nil, l'éclosion de la première expérience agricole connue au Proche-Orient ancien.

---

1. Dans la plaine de Kom Ombo, au Nord-Est d'Assouan et dans la partie nord de la Nubie, dans la zone comprise entre la première et la seconde cataracte.

Les fouilles réalisées au Sud de la Haute Égypte et au Nord de la Nubie depuis une quinzaine d'années ont démontré l'existence d'importantes communautés humaines, exploitant l'orge et certaines autres graminées sauvages. Entre 13,500 et 10,000 ans, les faucilles et les pierres à moudre le grain se font nombreuses et le poisson disparaît de l'alimentation. L'on ne peut parler ici d'agriculture, comme ce sera le cas plus tard, vers le milieu du VIe millénaire; par contre, il est clair que, pendant près de 2,000 ans, les Nilotiques du Sud ont connu l'amorce d'une exploitation plus rationnelle des graminées, au-delà de la simple cueillette. Malheureusement, l'expérience ne dura pas. Vers 10,500 avant notre ère, l'outillage *proto-agricole* disparaît. Sans que nous puissions préciser la cause de cet abandon, il semblerait que des changements dans l'environnement climatique[1] soient responsables, forçant les habitants à se rabattre sur les valeurs plus sûres de la pêche et de la chasse.

La période suivante, celle qui mène au Néolithique proprement dit, est encore mal connue. Les sites explorés par les archéologues nous indiquent cependant que les divers groupes humains de la vallée se sont très bien adaptés aux réalités spécifiques de la région. Coincées entre un désert de plus en plus aride et inhospitalier et les rives d'un fleuve au débordement annuel, les sociétés de chasseurs ont développé un outillage et des stratégies de survie leur permettant de devenir d'efficaces pêcheurs, mais non des agriculteurs. Selon les saisons et la crue du fleuve, l'habitat temporaire se déplace de la plaine vers les terrasses en bordure du désert. Ainsi, jusqu'à l'introduction de l'agriculture au milieu du VIe millénaire, la chasse et la pêche vont constituer la base des activités et du mode de vie des *futurs* Égyptiens.

---

1. Tel l'assèchement rapide de la région.

L'ASIE OCCIDENTALE ANCIENNE

Nous avons vu au chapitre précédent que la présence humaine était fort ancienne en Asie occidentale ancienne. Le Couloir syro-palestinien servant de zone de passage entre l'Afrique d'une part et l'Europe et l'Asie d'autre part, l'expansion des *Hominidés* dans la région s'en trouva donc "naturellement" favorisée. Au Paléolithique inférieur et moyen, le processus historique se rattache nettement à celui de l'Afrique du Nord et de l'Europe: les industries lithiques sont sensiblement les mêmes, tout comme la propension à utiliser les grottes comme habitat. Il en va de même avec le passage au Paléolithique supérieur caractérisé, sur le plan de l'outillage, par la fabrication d'objets utilisant des pierres plus petites, comme la lame et le microlithe, et un travail de taille plus raffiné. À partir de 15,000 ans, cette industrie lithique porte le nom de *Kabérien*, tiré de l'une des grottes du Mont Carmel, situé au Nord de la Palestine, près de la Méditerranée.

Pendant longtemps, la chasse au gros gibier demeure la base alimentaire des divers groupes humains. Par contre, selon les régions, cette chasse semble graduellement se spécialiser sur telle ou telle espèce disponible. Des liens plus étroits semblent alors s'établir entre les communautés et les ressources propres à leur milieu, comme l'indique l'importance des sites plus ou moins temporaires où ces communautés nichent. Ainsi, il est intéressant de noter que, durant la période qui va de 20,000 à 10,000 environ, nombre de ces communautés s'orientent graduellement vers la quasi-sédentarité et la constitution de l'habitat regroupé. En même temps, cette tendance à l'occupation permanente d'une région favorise une expérimentation plus large vis-à-vis les ressources disponibles et, conduit, par conséquent, à l'accumulation des expériences nouvelles liées aux données naturelles (faunes, flores et climat). Ce dernier phénomène est particulièrement visible au niveau des ressources alimentaires; à partir de 20,000, ces dernières se diversifient au point d'inclure tout ce qui est disponible aux alentours: poissons et mollusques, oiseaux, petits et moyens mammifères, sans oublier, ultimement, les plantes et les fruits. L'on peut supposer également des modifications importantes sur le plan de l'organisation sociale, imposées par les nouveaux styles de vie (l'habitat saisonnier[1]) et l'augmentation du nombre des tâches (de la chasse et de la boucherie à la préparation des plantes, en passant par la fabrication des objets nécessaires au quotidien).

Il s'agit donc d'une période cruciale dans l'histoire de l'Asie occidentale ancienne. Même si le rythme évolutif diffère d'une région à l'autre[2], même si certaines sociétés se spécialisent à outrance quant aux moyens qui assurent leur survie, les nouveaux résultats auxquels parviennent un nombre de plus en plus grand de groupes humains permettent graduellement la transition vers le Néolithique.

3. DES CHASSEURS / CUEILLEURS AUX AGRICULTEURS: LE MÉSOLITHIQUE

Une précision terminologique s'impose d'abord. Est-ce que cette transition qui s'amorce au tournant des XIe et Xe millénaires au Proche-Orient fait encore partie du Paléolithique

---

1. À l'époque, les groupes de chasseurs sont formés de quelques familles, totalisant tout au plus une trentaine de personnes.

2. Par exemple, la tendance à la sédentarité est nettement plus grande du côté du Couloir syro-palestinien que du côté des montagnes du Zagros. Cette différence régionale, reposant sur les particularités géo-climatiques des zones concernées (la première, méditerranéenne; la seconde, montagneuse), continuera par la suite.

ou, plutôt, marque-t-elle les débuts du Néolithique proprement dit? Pour certains, il s'agit du premier stade du Néolithique, une sorte de *pré-néolithique*, caractérisé entre autres phénomènes par l'absence de poterie[1]. D'autres préfèrent l'appellation d'*épipaléolithique*. Comme c'est le cas pour nombre de coupures chronologiques en histoire, il ne faut pas perdre de vue la réalité des processus historiques que l'on veut découper en périodes cohérentes et bien tranchées.
Cette prudence est particulèrement indispensable lorsqu'il est question des *phases de transition*. Par définition, il s'agit de périodes situées entre deux périodes, servant de passage de l'une à l'autre et relevant autant de l'une que de l'autre. Dans le cas qui nous préoccupe, il est clair que la base matérielle et les activités économiques des sociétés impliquées dans la transition vers l'agriculture sont essentiellement de type paléolithique. Par contre, les changements qui s'opèrent alors au sein de nombre de ces sociétés sont tels qu'il importe de le souligner de façon particulière. Ainsi, parleronsnous de *Mésolithique* et nous réserverons la coupure chronologique du *Néolithique* pour le moment précis où vont éclore les premières sociétés véritablement agricoles, c'est-à-dire à partir des VIIIe / VIIe millénaires.

Or, la période de transition qui se situe entre 10,000 et 8,000 avant notre ère et qui, éventuellement, conduit à cette "coupure" du Néolithique, semble connaître un important changement d'orientation quant aux stratégies de survie de certaines communautés humaines. En effet, nombre de sites compris entre les montagnes du Liban et la pointe du Delta égyptien

---

1. Chez les Anglophones, cette période est qualifiée de *Prepottery Neolithic A*.

témoignent de la présence d'importants groupes humains[1], dont la nouvelle culture porte habituellement le nom de *Natoufien*[2].

Même si elles ne pratiquent pas encore l'agriculture, ces communautés procèdent par contre à une exploitation fort rationnelle des graminées sauvages disponibles[3], assurant leur transformation ainsi que leur conservation. Cette double action est visible à travers le matériel trouvé sur les anciens lieux d'occupation: meules et pierres à broyer le grain, pilons et mortiers, ainsi que des silos creusés à même le sol dont les parois étaient durcies avec de la chaux.

De plus, une phase expérimentale similaire semble caractériser les rapports des hommes avec le règne animal, préparant le terrain pour la domestication de certaines espèces. D'abord chassés, les daims, les gazelles, les chèvres, les moutons, les sangliers, les boeufs, et autres gibiers, fournissent la base de l'alimentation des hommes. À leur contact, les hommes apprendront graduellement à "contrôler" certains d'entre eux, ouvrant la voie au proto-élevage.

L'habitat ne se réduit plus qu'aux seules grottes ou cavernes, mais se développe à l'air libre. Les maisons sont rondes, partiellement creusées dans le sol et comportent un muret de pierres. Leur dimension atteint facilement un diamètre de 5 à 10 mètres. Les morts sont déposés dans une fosse non loin des maisons, pratique caractéristique des lieux d'occupation

---

1. C'est dans la vallée du Jourdain, à Mallaha, que l'on trouve la plus importante communauté, organisée en un véritable village, probablement le plus ancien. Il comprend près de cinquante maisons, avec une population qui pouvait facilement atteindre 250 personnes.

2. Du site de Ouadi el'Natouf, sur les collines de Judée.

3. Deux variétés de blé (l'engrain et l'amodonnier), l'orge et le millet sauvages.

temporaires. Ils portent généralement leurs bijoux: bracelets, colliers, pendentifs et ornements de tête.

Sur le plan technique, les *Natoufiens* font grand usage des os tant pour la fabrication de l'outillage que pour celle de bijoux. C'est également de cette époque que datent les premières expressions artistiques, sous la forme de peintures rupestres montrant des humains (souvent chasseurs) et des animaux aux lignes très stylisées, et sous celle de gravures sur objets.

Quant à l'architecture "monumentale", le premier exemple important est légèrement postérieur (datant le VIIIe millénaire), quoique d'inspiration natoufienne. Il s'agit de Jéricho. Situé dans la vallée du Jourdain, au Nord-Ouest de la Mer Morte, le site est impressionnant pour l'époque avec ses trois hectares de surface et sa population évaluée à environ 2 à 3,000 habitants. Chasseurs/cueilleurs, les habitants de Jéricho devaient posséder une organisation tribale certainement bien structurée si l'on tient compte des grands "travaux publics" réalisés à l'époque. En effet, la ville présente un système défensif très élaboré: un mur d'enceinte en pierres qui atteint parfois 2 mètres d'épaisseur, au pied duquel se trouve un fossé de 2 mètres de profondeur et de 8.5 mètres de large, creusé dans le lit rocheux du sol. En outre, à l'intérieur des murs, les archéologues ont mis à jour une tour en pierres qui s'élève encore aujourd'hui sur près de 9 mètres de hauteur, avec une base dont le diamètre atteint facilement les 11 mètres. Les habitants accédaient à son sommet en empruntant une volée de marches, dont 22 d'entre elles sont encore visibles aujourd'hui.

Compte tenue de la situation géographique de leur "ville", il apparaît certain que les habitants de Jéricho ont su tirer grand profit de leurs relations avec l'extérieur, pacifiquement ou autrement. Jéricho était située près d'une source d'eau et placée au coeur d'un important réseau de circulation et d'échanges; elle dut ainsi s'imposer comme centre d'attraction économique et religieux auprès des populations vivant dans son voisinage; ce phénomène favorisa certainement la concentration de la richesse vers la ville. En même temps, la nature défensive du site laisse entrevoir certaines difficultés, probablement liées à la présence de nomades tournés vers le pillage, comme cela se produira si souvent par la suite au Proche-Orient ancien.

Ce développement relativement rapide des communautés humaines n'est pas limité à la zone du Couloir syro-palestinien. En fait, elle touche l'ensemble des régions de l'Asie occidentale ancienne. L'habitat en plein air se généralise alors que les expériences d'utilisation des plantes et des animaux se multiplient. Les sites gagnent en importance, ce qui laisse entrevoir une augmentation démographique, favorisée par une plus grande stabilité de l'habitat. L'amélioration des techniques permet la fabrication de nombreux outils composites alors que l'usage de l'arc et de l'argile commence à se manifester. En même temps, l'imaginaire se transforme, entraînant l'éclosion graduelle de systèmes religieux ou, à tout le moins, de rituels et de cérémonies cultuelles en rapport avec la mort et certaines activités du quotidien, telle la chasse.

Au total, lorsque l'on dresse un bilan des réalisations des deux à trois millénaires du Mésolithique, c'est comme si le processus évolutif semblait avoir atteint un rythme de croisière et une maturation qui le conduisaient vers son propre point de rupture: celui qui allait bientôt occasionner les grands bouleversements du passage à l'agriculture et à l'élevage.

GUIDE DE LECTURE

Voir également les ouvrages indiqués au chapitre précédent.

Collectif d'auteurs.
LES BUSHMEN. DERNIERS CHASSEURS CUEILLEURS.
No. 115 de la revue DOSSIERS HISTOIRE ET ARCHÉOLO-
GIE (avril 1987).

Collectif d'auteurs
L'HOMME DE NÉANDERTAL.
No. 124 de la revue DOSSIER HISTOIRE ET ARCHÉOLO-
GIE (février 1988).

Chaptal, Frédéric
À la recherche des chasseurs solutréens
ARCHÉOLOGIA [Préhistoire et archéologie] no. 246 (mai
1989), pp. 40 - 47.

Dollfus, Geneviève
La vie quotidienne des hommes préhistoriques
DOSSIERS HISTOIRE ET ARCHÉOLOGIE, No. 118 (*FA-
BULEUSE HISTOIRE DE LA JORDANIE*), juillet-août 1987,
pp. 10-19.

Putman, John J.
The Search of Modern Man
NATIONAL GEOGRAPHIC Vol. 174, No. 4 (octobre 1988),
pp. 438 - 477.

Speth, John D.
Les stratégies alimentaires des chasseurs-cueilleurs
LA RECHERCHE, No. 190 (juillet/août 1987), pp. 894 - 903.

Trinkaus, Erik et William Howells
Les hommes de Néanderthal
POUR LA SCIENCE, No. 28 (février 1980), pp. 92 - 105.

4

LES PREMIERS AGRICULTEURS DU PROCHE - ORIENT

1. LE SENS HISTORIQUE DU NÉOLITHIQUE

Un des grands tournants de l'histoire de l'humanité est sans contredit l'émergence des sociétés agricoles. Pendant des millénaires, au cours du Paléolithique, l'Homme avait été un *prédateur*. Il s'était contenté d'utiliser directement ce que lui offrait la nature, en chassant, en pêchant et en collectant. Il devait continuellement changer d'endroit afin de suivre ou de retrouver ses sources alimentaires; il n'investissait donc que très peu dans son habitat et dans son soutien matériel, étant forcé de se déplacer avec le minimum d'objets. Puis, à partir de 10,000 ans environ, son mode de vie commença à se modifier. Il s'accrocha de plus en plus à un environnement spécifique, ce que les spécialistes appellent une *niche écologique*. Il se mit en outre à l'école des graminées, des fruits et des légumineuses, tout comme à celle de certaines espèces animales. En quelques dizaines de siècles d'expérimentation, il se dotait des connaissances et des moyens techniques nécessaires pour finalement devenir *producteur*.

Cette évolution ne fut pas le seul fait de certaines sociétés du Proche-Orient. Elle se retrouve sur les autres continents, à des moments variables, quoiqu'à l'échelle du globe les principales origines de l'agriculture se situent *grosso modo* entre les Xe et IVe millénaires avant notre ère. Selon les régions, les bases céréalières (graminées) et légumineuses (légumes à graines ou tubercules) sont différentes: riz, millet et plantes à tubercule en Asie; blé, orge, pois, lentilles, pois-chiche et vesce amère[1] au Proche-Orient; millet et sorgho en Afrique; blé, orge, pois et lentilles pour l'Europe des Balkans; maïs, haricot, courge, manioc et pomme de terre en Amérique. Parallèlement, la domestication des animaux s'amorce, même si celle du chien et du cheval paraît légèrement antérieure dans le temps[2]: le mouton, la chèvre et le porc au Proche-Orient[3]; le boeuf et le petit bétail en Afrique; le mouton, le porc et le boeuf en Europe; le dindon, le lama, le cochon d'Inde en Amérique. Ainsi, à partir de cette période, l'Homme s'assure un contrôle plus complet sur les sources de son alimentation, tant en qualité qu'en quantité. Mais le phénomène central demeure le fait qu'il devient dorénavant lui-même *producteur* de ces sources, avec les conséquences économiques, sociales, et politiques qu'un tel changement opère tant au niveau de ses rapports avec la nature qu'à celui des rapports des individus entre eux et entre sociétés de plus en plus diversifiées.

Il importe de souligner que, lors de ce passage de la *prédation* à la *production*, l'action de l'Homme s'est lourdement faite sentir sur la nature elle-même, à commencer par les plantes et les animaux. En effet, les premiers pas de l'agriculture se sont d'abord réalisés dans le contexte de la chasse et de la cueillette. En Asie Occidentale ancienne, il existait une zone géographique qui, grâce à un régime de pluie suffisant, fournissait à l'état sauvage une variété intéressante de graminées et de légumineuses. Cette zone de distribution constitue

---

1. Une sorte de fève.

2. Peut-être entre 12 et 10,000 ans avant notre ère en Europe et en Jordanie.

3. Dans la vallée du Nil, les Égyptiens des premières dynasties (donc, même après 3100 avant notre ère) continueront à tenter de domestiquer des espèces animales nouvelles, telles l'antilope et la gazelle.

une bande de terre qui part du Sud du Couloir syro-palestinien, remonte vers le Nord en longeant la côte méditerranéenne, tourne vers l'Est, au Nord de la Mésopotamie, con-
tourne cette dernière puis, redescend vers le Sud, chevau-
chant la région montagneuse du Zagros. C'est donc dans
cette bande en forme de grand "V" inversé que les chas-
seurs/cueilleurs vont amorcer leur processus de *domestication*
des plantes.

Lorsque l'on compare les graminées sauvages aux graminées
cultivées par les anciens agriculteurs, des différences majeures
s'imposent à l'observateur. Par exemple, dans le cas du blé,
les grains gagnent en taille et, en même temps, perdent leur
moyen naturel de se disperser aisément par l'action du vent.
En outre, l'épi de blé sauvage se détache beaucoup plus
facilement de sa tige, alors qu'il doit être séparé manuelle-
ment lorsque domestiqué. Sans connaître exactement et en
détail les modalités historiques du processus de mutation qui
a touché les graminées, il est clair que l'action sélective de
l'Homme a joué un rôle capital dans l'évolution des plantes
elles-mêmes. On peut imaginer que, dans une prairie ou un
côteau où poussait du blé sauvage, certains plants plus solides ont pu être cueillis plus tardivement que les autres; qu'ils
ont été conservés pour l'hiver; que certaines de ces graines
se sont retrouvées sur le sol et ont ainsi germé au printemps
suivant; qu'à la longue, les chasseurs/cueilleurs ont préféré
cette nouvelle variété car plus rentable puisqu'elle risquait
moins de voir ses graines tomber et partir au vent.

Le scénario est quelque peu hypothétique, mais la démarche
active de l'Homme se vérifie tout aussi bien dans le domaine
de la domestication des animaux. Le fait de privilégier certains individus a permis le développement de "races" nouvelles, différentes anatomiquement des races d'origine. Le cas
des chèvres est particulièrement éloquent où l'on observe des

modifications majeures à leurs cornes. La ou les raisons qui ont amené concrètement les chasseurs/cueilleurs à choisir tel individu plutôt que tel autre nous échappent. Cependant, l'on peut admettre que la sélection s'est opérée minimalement sur la base de la quantité de lait fourni ainsi que sur le comportement plus ou moins docile de l'animal, deux qualités qui ont certainement motivé le chasseur à commencer à contrôler l'animal plutôt que de simplement le chasser.

Le processus de domestication implique cependant un facteur important, relatif aux ressources alimentaires. Les animaux domestiqués (bovidés, mouton, chèvre) sont des ruminants capables de digérer la cellulose des herbes, des feuilles et de la paille. Par rapport à l'Homme qui est réfractaire à la cellulose, ces animaux ne se présentent donc pas en concurrents quant aux sources alimentaires. Il s'ensuit un équilibre entre les espèces et, pour l'Homme, le résultat représente un ensemble de gains non négligeables: il peut y trouver des hydrocarbones, des gras et des protéines tout comme il peut faire usage du lait animal ainsi que de la peau et des poils.

C'est donc à travers ces diverses expériences que l'Homme devient ultimement un *producteur*. Par contre, d'autres facteurs ont joué un rôle interactif déterminant dans le phénomène, qu'il s'agisse de l'environnement, de la démographie, du mode de vie du semi-nomadisme ou des développements technologiques. En réalité, ce que certains ont qualifié de *Révolution néolithique* constitue un long processus qui repose sur un ensemble de facteurs qu'il ne nous est pas toujours facile de mesurer ni de pondérer avec précision. C'est pourquoi nous posons maintenant la question suivante: pourquoi, à un moment donné, certaines sociétés se sont-elles graduellement tournées vers la domestication des plantes et des animaux? La question est d'autant plus pertinente que le simple fait de la présence de ces plantes et animaux dans l'environnement ne suffit pas à expliquer le changement de stratégie alimentaire que le phénomène impose.

En fait, l'anthropologie démontre que rares sont les sociétés qui modifient "gratuitement" leur mode de vie. On ne passe donc pas à l'agriculture uniquement parce que, un bon matin, quelqu'un a décidé qu'il en avait assez de chasser ou de cueillir, ou que l'occasion était belle de vivre autrement parce que du blé sauvage poussait à proximité du campement. Il importe plutôt que les changements adoptés soient rentables, qu'ils permettent aux groupes concernés d'assurer adéquatement leur survie[1]. Par conséquent, nous pouvons présumer de l'existence de certaines conditions qui ont favorisé le processus, sans pour autant isoler et privilégier parmi ces dernières un seul facteur déterminant.

Or, les théories abondent pour mettre l'emphase sur tel ou tel facteur comme force décisive menant au Néolithique. Pour certains, les modifications climatiques de la fin du Paléolithique au Proche-Orient ont favorisé l'extension des graminées sur un plus vaste territoire, ce qui aurait incité les chasseurs/cueilleurs à se lancer dans leur exploitation. Pour d'autres, le phénomène déterminant est d'ordre démographique. À la fin de la même période, on note une augmentation sensible de la population. Compte tenu des ressources alimentaires limitées, certains groupes humains auraient alors trouvé avantageuse l'intégration des graminées et d'animaux domestiqués dans leur stratégie de survie. Ce dernier phéno-

---

1. Cela n'exclut cependant pas l'apparition d'un nouveau problème: une trop grande dépendance de l'Homme par rapport à l'agriculture, c'est le placer devant la menace de graves famines, advenant des sursauts imprévus de la part de Dame Nature. Pendant longtemps, les autres activités, comme la chasse et la pêche, serviront de compléments alimentaires, sans évidemment oublier l'élevage. Nous verrons plus loin comment les grands États prendront ultérieurement en charge cette "fonction biologique" (grâce aux réserves en grain), afin d'assurer la survie de leurs communautés dans le cadre de ces famines toujours potentielles.

mène peut être relié à l'apparition du semi-nomadisme qui favorise la concentration de groupes humains de plus en plus larges dans une même niche écologique. Dans le domaine des structures sociales, certains changements organisationnels s'imposent comme nécessaires au passage à l'économie agricole, surtout dans le contexte de la création, de la conservation et de la gestion des surplus. Il est donc possible de mettre l'emphase sur certains faits de société comme mécanismes privilégiés dans l'éclosion du Néolithique. Finalement, il y a la théorie du développement des forces productives, dont l'outillage microlithe et composite, sans oublier le pierre à moudre, seraient le moteur principal de l'évolution, encourageant un élargissement de l'éventail des ressources utilisables par l'Homme.

Or, sans rejeter aucun de ces éléments, il est plus juste dans l'état actuel de nos connaissances de parler d'interaction des facteurs. Comme c'est d'ailleurs souventes fois le cas en Histoire, un phénomène complexe tel, celui du Néolithique, ne peut se réduire qu'à une seule de ces composantes; force nous est d'imaginer différents scénarios concrets qui l'ont rendu possible. Ce qui est cependant certain, c'est qu'une fois adoptée, la domestication des plantes et des animaux va rapidement se répandre, sans pour autant inclure toutes les communautés existantes. Au Proche-Orient, certains groupes humains sont refoulés et maintenus en dehors des zones qui passent à l'agriculture, forçant soit la perpétuation de leur mode de vie de chasseurs/cueilleurs, soit leur spécialisation comme éleveurs de bétails. Ainsi se structurent les deux grands modes de vie qui vont ultimement se partager géographiquement la région: celui des agriculteurs sédentarisés et celui des éleveurs nomades et semi-nomades.

2. LES PREMIERS VILLAGES D'AGRICULTEURS AU PROCHE-ORIENT

A) L'ASIE OCCIDENTALE ANCIENNE

Afin d'éviter de créer une fausse image de la réalité, soulignons que l'histoire des premiers villages d'agriculteurs au Proche-Orient entre difficilement dans un moule explicatif uniforme. Selon les régions, le rythme et la nature des changements diffèrent. Certains villages montrent une prédominance de l'agriculture dès le VIIe millénaire, comme c'est le cas à Çatal Hüyük[1], en Anatolie; par ailleurs, d'autres communautés demeurent longtemps dépendantes de la chasse et de la cueillette, comme c'est le cas dans la zone palestinienne du Couloir ou encore dans les montagnes et les piémonts du Zagros (dont Jarmo, le premier site fouillé de la région). Quant à la région mésopotamienne qui deviendra plus tard le centre des civilisations sumérienne, babylonienne et assyrienne elle n'est occupée par les agriculteurs qu'à partir du VIe millénaire, et d'abord dans sa partie Nord seulement. Ainsi, la vie agricole ne se développe-t-elle que lentement et de façon très inégale. Il existe même des cas où les villages semblent avoir été abandonnés après quelque 1,000 ans de vie sédentaire. C'est en effet ce que nous apprend l'étude de

---

1. Le cas de Çatal Hüyük est unique, tant par l'ampleur du site (environ 13 hectares) que par la richesse matérielle des lieux. Florissant entre 6250 et 5400 avant notre ère, il est souvent considéré comme la première ville de ce nom au Proche-Orient. Les habitants, dont le nombre a pu atteindre les 7,000 individus, vivaient dans des maisons carrées faites de briques crues, tassées les unes sur les autres. En l'absence de rue, l'on accédait aux appartements intérieurs par un trou aménagé dans le toit. Les diverses pièces, décorées de peintures ou de reliefs, s'organisaient autour de petites cours. En plus de pratiquer la culture du blé, de l'orge et des pois, les villageois élevaient le mouton et exploitaient l'obsidienne de façon commerciale, obtenant en retour des matières premières (pierres taillées, coquillages, cuivre et turquoise) dont les sources d'approvisionnement se trouvaient parfois à plusieurs centaines de kilomètres de là.

nombreux sites de la Palestine et datés de 6,000 ans avant notre ère[1]. Il est possible que l'assèchement du climat soit le principal responsable de ce phénomène[2]. Quoi qu'il en soit, nombre de régions palestiniennes se dépeuplent alors au profit de la zone côtière de la Méditerranée alors que certains anciens villages de la vallée du Jourdain se transforment en habitat temporaire pour éleveurs.

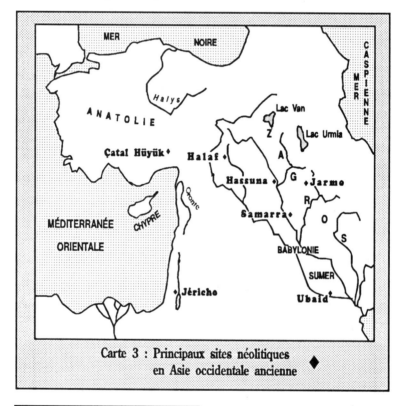

Carte 3 : Principaux sites néolitiques
en Asie occidentale ancienne

---

1. Voir, à titre d'exemple: Gary O. Rollefson et Alan H. Simmons, *The Life and Death of 'Ain Ghazal*, ARCHAEOLOGY (Novembre-December 1987) pp. 38-45.

2. Les auteurs de l'article cité à la note précédente attribuent l'abandon de 'Ain Ghazal à une détérioration des sols suite à une exploitation intensive de l'environnement. Ce serait là un des premiers exemples des effets sur l'écologie d'une mauvaise gestion des ressources naturelles.

À partir du VIe millénaire, le village agricole est par contre fermement établi en Asie occidentale ancienne. C'est le cas, entre autres, en Mésopotamie du Nord, dans la région de la future Assyrie, où se succèdent les cultures dites de Hassuna, Samarra et de *Halaf*[1]. Sur le plan matériel, la fabrication de la poterie devient un trait caractéristique de ces villages[2]; les vases sont de types variés et couverts de dessins géométriques ou d'incisions. Les communautés humaines regroupent habituellement 100 à 200 personnes, à peine plus que l'étape historique précédente. Par contre, le nombre des sites augmente, ce qui rend compte de l'orientation démographique très marquée vers un accroissement général de la population.

Si la structure des maisons n'est pas uniforme d'un site à l'autre (parfois les habitations sont circulaires, parfois rectangulaires), la tendance va nettement du côté d'une architecture rectiligne. Il est alors plus facile d'ajouter des pièces lorsque nécessaire et les murs extérieurs des édifices finissent par former une sorte d'enceinte, fort utile pour la protection des habitants. Sans parler comme tel de guerres entre les communautés[3], la présence d'ouvrages défensifs sur certains sites au VIe millénaire illustre le besoin de protection ressenti par les sédentaires, peut-être vis-à-vis de nomades souvent enclins aux razzias rapides.

---

1. Il s'agit d'une division chronologique en trois périodes selon le matériel archéologique, principalement la poterie. La période couverte s'étend des débuts du VIe millénaire jusque vers 4,800 avant notre ère.

2. La poterie n'est plus considérée aujourd'hui comme une marque distinctive du Néolithique. En effet, une céramique pré-néolithique existe au Japon dès le XIe millénaire avant notre ère ainsi qu'en Afrique, où elle se retrouve chez des populations pastorales, avant l'introduction de l'agriculture.

3. Ce qui ne devient évident que plus tard, au IVe millénaire, au moment de la formation des États-cités.

L'organisation sociale des premiers agriculteurs a laissé peu de traces. Par contre, une analyse anthropologique des données archéologiques montre qu'il n'existait pas encore de différences économiques entre les familles d'un même village. La terre était certainement un bien collectif, partagée entre les membres de la communauté selon la structure des rapports de parenté[1]. Il est certain que les travaux de construction, comme d'ailleurs ceux reliés à l'irrigation des terres à partir de ruisseaux ou de rivières dans les zones plus montagneuses, imposaient une forme de concertation impliquant tous les individus. Les mythes mésopotamiens ultérieurs ont d'ailleurs conservé le souvenir d'assemblées où les membres de la collectivité se réunissaient pour discuter et décider d'affaires concernant l'ensemble du groupe. Il n'est donc pas exagéré d'imaginer un mécanisme semblable où les diverses familles décidaient collectivement de leurs besoins et géraient, à l'occasion, les situations de crise (offenses graves, défense de la communauté, partage des terres, expédition économique vers l'extérieur).

À partir du IVe millénaire, l'évolution s'accélère. Graduellement, certains villages deviennent de véritables villes, dominées alors par de gigantesques temples. Une nouvelle phase s'amorce donc, directement reliée à la question de l'apparition de l'État, dont nous verrons les éléments au prochain chapitre.

---

1. Dans les sociétés primitives, les rapports de parenté (famille, clan, tribu) agissent comme structures dominantes. C'est à travers les liens qui unissent les individus que s'exercent les fonctions sociales, économiques, politiques et religieuses de la société. L'appartenance des individus au groupe est d'ailleurs définie par ces liens parentaux.

B) LA VALLÉE DU NIL

En Égypte, le passage de la vie de chasseur/cueilleur à celle d'éleveur/agriculteur semble s'opérer définitivement entre 6000 et 5000 ans avant notre ère. Comme cela se produit ailleurs au Proche-Orient, à l'origine du processus, les économies demeurent mixtes: les groupes humains pratiquent l'élevage dans les zones herbeuses des oasis et de la vallée; en même temps, la pêche puis la culture des plantes viennent compléter les sources alimentaires des petites communautés nilotiques.

Graduellement, une civilisation néolithique se développe, basée sur la sédentarisation (la construction d'habitations permanentes: huttes de branchages, avec des murs construits en pisée), la domestication de certaines espèces animales (moutons, chèvres, cochons et chiens) et l'élaboration de nouvelles techniques (le tissage du lin; la poterie; la vannerie: nattes et paniers en paille ou en jonc; la fabrication d'armes en pierre; un artisanat de luxe qui produit des parures et des perles).

Entre 4500 et 3300, l'évolution historique peut se mesurer en termes de *cultures*. En l'absence de documents écrits, le cadre chronologique s'appuie essentiellement sur le matériel archéologique découvert sur les divers sites mis à jour. Or, deux phénomènes sont à souligner ici: d'abord, selon ce matériel, des étapes évolutives distinctes sont identifiées et permettent un découpage en périodes chronologiques précises. Ainsi parlons nous de *Badarien* (4500 à 3800 avant notre ère), de *Amratien* (4000 à 3500) et de *Gerzéen* (3500 à 3300)[1]. Ces noms donnés aux trois périodes du Néolithique

---

1. Certains auteurs utilisent parfois les termes de *Nagada I et II* à la place de *Amratien* et de *Gerzéen*.

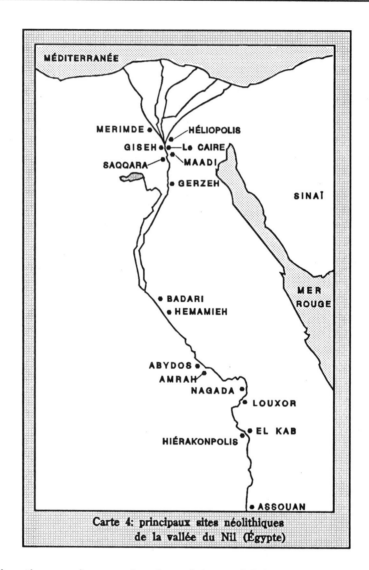

Carte 4: principaux sites néolithiques
de la vallée du Nil (Égypte)

égyptien proviennent des sites où les archéologues ont trouvé pour la première fois des traces importantes de ces *cultures*. Nous sommes, d'autre part, assurés de leur succession dans le temps grâce à l'étude stratigraphique de certains sites, tel

celui d'Hémamieh, en Moyenne Égypte, où les niveaux d'occupation illustrent clairement le passage de l'une à l'autre des
cultures.

Dès cette époque, des différences notables apparaissent entre
les sites du Nord (le Delta) et ceux du Sud (la Haute Égypte). Nous identifions deux zones culturelles distinctes: la première s'étend de la pointe du Delta jusqu'au Fayoum alors
que la seconde comprend la Moyenne et la Haute Égypte.
À l'époque pharaonique, plusieurs indices nous permettent
de distinguer ces deux grandes sous-régions: par exemple,
sur le plan linguistique, il ne fait aucun doute qu'il existait
des différences notables entre le langage du Nord et celui du
Sud; une expression égyptienne courante souligne combien
il est difficile pour un paysan du Delta de se faire comprendre d'un autre vivant dans la région d'Éléphantine, ville frontière du Sud. Politiquement, lorsque l'État tend à la désintégration, la vallée se morcelle en deux principales zones, suivant en cela le régionalisme politique des origines, marquées
par la possible constitution de deux royaumes, l'un au Nord
et l'autre au Sud.

Si, avec le Gerzéen, on peut d'ores et déjà parler d'unification culturelle dans l'ensemble de la vallée, des contrastes
intéressants existent dans les phases précédentes entre certaines pratiques des habitants du Delta et du Fayoum, et ceux
de la Haute vallée. Par exemple, à Mérimdé, site situé à la
pointe du Delta, les morts sont enterrés à l'intérieur de la
zone du village alors qu'en Haute Égypte, ils sont placés
dans des cimetières, construits à l'extérieur des agglomérations. Quant à la présence de matériel funéraire auprès du
défunt, ce qui constitue l'un des traits majeurs de la civilisation égyptienne, la pratique semble absente à Mérimdé. Ainsi, le défunt n'y est accompagné d'aucun des objets considé-

rés par la suite si importants pour assurer sa survie dans l'au-delà.

On peut également souligner des différences importantes dans le domaine de la poterie, celle fabriquée au Nord étant essentiellement monochrome et sans éléments décoratifs. Quant aux bijoux et aux objets sculptés, ils sont beaucoup plus rares sur les sites du Nord.

À un autre niveau, le contraste devient encore plus frappant entre le Nord et le Sud puisque, vers 3600 avant notre ère, nous pouvons identifier la présence de deux voies de développement possibles: l'une fortement mercantile et tournée vers l'étranger et l'autre, résolument orientée vers la production agricole. Dans le premier cas, magnifiquement illustré par le site de Maadi, situé au Sud du Caire actuel, la vie de la collectivité semble engagée dans la production de biens à caractère marchand et la transformation de la richesse accumulée en matières premières (cuivre), outillage et entrepôts.

Au Sud, comme le montre le site de Hiérakonpolis, cette richesse est transformée en biens de luxe, telles ces tombes immenses et décorées de fresques, et dotées d'un matériel funéraire qui annonce le faste du culte funéraire des pharaons. Il en va de même pour les investissements que les chefferies locales du Sud réalisent dans le secteur de la construction monumentale: temples et murailles de briques ceinturant l'habitation du chef.

À long terme, à travers la période du Gerzéen, c'est la seconde voie qui allait l'emporter et déterminer, pour les millénaires à venir, la nature de la civilisation égyptienne: une société fortement centralisée et hiérarchisée, favorisant les dépenses somptuaires de ses chefs qui cherchaient ainsi à exprimer "visiblement" leur statut social supérieur, sur la base d'une économie essentiellement agricole. Par contraste, en Mésopotamie, les deux voies seront toujours présentes, s'imbriquant l'une dans l'autre, quoique dans un rapport de force favorisant, de façon générale, les monarchies centralisées et agraires.

3. UN DERNIER BILAN SUR LE NÉOLITHIQUE PROCHE-ORIENTAL

Il est clair qu'avec le Néolithique, les conditions de vie matérielle des communautés humaines du Proche-Orient connaissent des changements majeurs qui dépassent largement le cadre plus restreint de l'agriculture et de l'élevage. En fait, pour ne souligner que quelques-uns des aspects importants de l'activité humaine, l'habitat se transforme de façon remarquable alors que de nouvelles techniques font leur apparition, ces dernières ayant de multiples incidences dans la vie quotidienne.

Au Néolithique, la maison devient un centre d'intérêt, une préoccupation aux incidences techniques nombreuses, qui est essentiellement motivée par la recherche de durabilité, donc de solidité. Grâce à une meilleure connaissance des matières premières disponibles sur place (le bois, l'argile et la pierre), il s'ensuit l'élaboration de constructions qui, graduellement, utilisent de nouveaux matériaux. De circulaire qu'elle était à l'origine, la maison devient rectiligne, empruntant des formes carrées ou rectangulaires. Elle comprend, en outre, des pièces à usages spécialisés, telles la chambre pour dormir et une salle commune.

L'aspect matériel intéressant demeure sans conteste le regroupement de ces maisons en villages. La plupart du temps serrées les unes sur les autres, elles formes une sorte d'îlot protecteur dont l'aspect défensif est parfois renforcé d'un fossé et d'une muraille en pierre. Si la sédentarisation est également un fait social, le village, avec ses familles, ses clans et, peut-être, ses tribus, illustre plus que tout la collaboration qui doit unir ses habitants: une certaine coordination s'impose non seulement pour accomplir les diverses tâches agraires (répartition des terres et de l'eau ou travaux collectifs pour assainir un marécage), mais également pour assurer la localisation et la construction des maisons selon les objectifs recherchés par le groupe. La conséquence sociale globale qui découle de ces multiples collaborations est, en dernière analyse, un renforcement de la communauté agricole elle-même. À long terme, il en garantit la survie ainsi que la stabilité.

Toujours sur le plan économique et social, nous pouvons parler à travers cette époque, de spécialisation graduelle des tâches, réparties sur une base sexuelle ainsi qu'en fonction des habilités de chacun. Lentement, au sein des communautés, apparaissent les *spécialités* qui, lorsqu'elles sont perceptibles dans les traces relevées par l'archéologie, se caractérisent par des fonctions économiques, sociales, politiques et religieuses diversifiées: artisans de toutes sortes, mineurs, carriers, fondeurs, potiers, vanneurs; sorciers; chefs de guerre; agriculteurs, etc. Il faut noter que ces fonctions ne peuvent finalement s'exercer de façon efficace que dans la mesure où la communauté possède les moyens matériels nécessaires pour entretenir les spécialistes dont elle a besoin.

En effet, en échange du travail de ces ouvriers et artisans, la collectivité doit pouvoir leur fournir ce qui est nécessaire pour assurer leur propre existence: nourriture, vêtements, maison, objets usuels. C'est à ce niveau que se manifeste assez clairement la rentabilité économique de la société agricole, en ce sens qu'elle en arrive à se payer le travail de spécialistes qui ne sont plus des producteurs agricoles directs. Il en sera bientôt de même pour les chefs de villages dont certains deviendront, à l'aube du IIIe millénaire, rois ou pharaons, grassement entretenus par leurs communautés respectives.

Sur le plan des matières premières et des techniques, l'introduction du métal n'est pas sans bouleverser la vie matérielle des hommes du Néolithique. À telle enseigne que les spécialistes n'hésitent pas à parler d'une phase nouvelle, celle du *chalcolithique*.[1] Les premiers développements de la métallurgie remontent à environ 5500 avant notre ère pour le cuivre, et vers 3500 pour le bronze, et se généralisent lentement. Par contre, la métallurgie a une incidence directe sur les diverses tâches dans la mesure où elle en augmente l'efficacité: pensons à l'abattage des arbres, au travail du bois et de l'ivoire, à la taille des pierres. L'outil le plus représentatif qui apparait alors est l'herminette: faite d'un manche de bois recourbé dans sa partie supérieure et d'une lame de métal, elle donne naissance à l'art du charpentier et du menuisier.

Quand au tissage, qui fait ses premiers pas durant le Néolithique, il présume la maîtrise de la fibre végétale et de sa transformation en fil, utilisé ensuite sur un métier à tisser. Nous avons ici un excellent exemple d'application technologique qui libère l'homme de sa dépendance envers la nature: avec le tissage, les groupes humains ne sont plus obligatoirement liés aux seuls animaux pour la fabrication de leurs vêtements. Tissage et teinture permettront en outre une plus

---

1. Du grec *chalcos*, pour cuivre, et *lithique*, pour pierre, afin de souligner l'utilisation encore généralisée de la pierre dans la fabrication des outils, des armes et même, comme c'est le cas dans la vallée égyptienne, pour la fabrication de vases.

grande variété de coupes et de motifs, ouvrant la voie à la *mode* et à l'évolution des styles de vêtements, selon les goûts et la créativité humaine.

La création de surplus ainsi que la vie sédentaire ne sont pas sans entraîner le développement de nouveaux besoins, comme celui de l'entreposage. C'est ainsi que le développement de la vannerie, comme d'ailleurs celui de la poterie, offre la possibilité de créer des contenants aux formes les plus diverses, sans pour autant exclure les émotions "artistiques" de leur créateurs. Sur ce dernier point, les motifs géométriques puis, naturalistes, de la poterie rejoignent les autres formes artistiques qui se manifestent au Néolithique, à savoir: la sculpture en ronde-bosse (la statuaire), le relief sur pierre, sur ivoire ou sur bois, la fabrication des bijoux, sans oublier les nombreux objets du quotidien auxquels les villageois accordaient une grande attention, tels les épingles à cheveux, les peignes, les couteaux, le mobilier (coffre, banc), toujours finement ciselés.

GUIDE DE LECTURE

Childe, Gordon V.
LA NAISSANCE DE LA CIVILISATION.
Éditions Médiations, Gonthier, Paris 1964.

Dollfus, Geneviève
La vie quotidienne des hommes préhistoriques
DOSSIERS HISTOIRE ET ARCHÉOLOGIE no.118 (juillet/
août 1987) 10 - 23

Hoffman, Michael A.
EGYPT BEFORE THE PHARAOHS.
Alfred A. Knopf, New York 1979.

Leonard, J.N.
LES PREMIERS CULTIVATEURS.
Coll. Time-Life, 1973, 1974.

Mellaart, J.
THE NEOLITHIC OF THE NEAR EAST.
Thames and Hudson, Londres 1975.

Redman, Charles L.
THE RIZE OF CIVILIZATION.
W. H. Freeman and Company, San Francisco 1978.

Reed, C.A. (éditeur)
ORIGINS OF AGRICULTURE.
Mouton, The Hague, Paris 1977.

5

L'ÉMERGENCE DES GRANDES CIVILISATIONS DU PROCHE - ORIENT

Dans la longue histoire des communautés humaines du Proche-Orient, le IVe millénaire avant notre ère constitue la phase cruciale. C'est en effet durant cette période que le processus évolutif des sociétés néolithiques connaît une accélération aussi inattendue que riche en conséquences multiples. En l'espace de quelques siècles, certains villages d'agriculteurs se transforment en d'importantes agglomérations; ces dernières deviennent graduellement des centres d'attraction et de développement économique, religieux et politique. En Mésopotamie, ainsi que dans le Couloir syro-palestinien et en quelques endroits de la vallée du Nil, naissent alors les *cités*. Puis, vers la fin de la période, de véritables États apparaissent, formant des entités au pouvoir politique placé au-dessus des villages agricoles et unifiant les communautés comprises à l'intérieur d'une zone géographique plus ou moins vaste, selon le cas. Parallèlement au développement de l'État, émergent ou maturent un certain nombre de phénomènes qui, à long terme, vont former les traits caractéristiques des civilisations du Proche-Orient: monarchie théocratique, administration centralisée, grands systèmes philosophico-religieux, architecture monumentale, écriture.

1. LA RÉVOLUTION NÉOLITHIQUE *PHASE II* : LES TRAVAUX HYDRAULIQUES

Ce qui se défile derrière cette accélération gigantesque dont nous n'avons brossé que les grandes lignes est une transformation rapide et radicale des forces productives. En fait, nous parlons ici d'une seconde phase de la *révolution néolithique* afin de mettre l'emphase sur l'élément clé du processus, à savoir: le développement des techniques agricoles basées sur l'irrigation et le drainage.

Certes les techniques de l'eau pour des fins agricoles ne sont pas le seul fait des populations vivant sur les fleuves à crue, tels le Nil pour la vallée égyptienne et le Tigre et l'Euphrate pour la Mésopotamie. Dans le Couloir syro-palestinien, il a fallu très tôt apprivoiser les ruisseaux et les rivières des montagnes afin d'irriguer des terres qui n'auraient pu être productives sans un apport artificiel d'humidité. Mais dans les grandes vallées à crue, le problème se pose à une autre échelle, étant donné l'envergure des cours d'eau en cause et de certaines tâches d'assèchement des marécages. Pendant longtemps, les terres irriguées naturellement ont pu suffire aux besoins. Mais avec l'augmentation de la population, il devint nécessaire de rendre accessibles les terres qui ne l'étaient pas et de faire face aux irrégularités des crues annuelles des grands fleuves afin de stabiliser la production agricole.

Même si la documentation est silencieuse quant à l'apparition et au développement des techniques hydrauliques, il est certain qu'elles font leur apparition à la fin du Ve et au début du IVe millénaire. En Mésopotamie, la période la plus probable est celle dite d'Ubaid 3 et 4 qui s'étend de 4300 à

3600 environ[1]. C'est à cette époque que les grandes agglomérations de la plaine sumérienne voient apparaître les premiers temples qui agissent comme centres de convergence pour les activités à la fois religieuses, économiques et culturelles des communautés. À partir des développements ultérieurs qui sont mieux connus, nous pouvons inférer l'existence de chefferies locales sous le contrôle de grands prêtres, intervenant autant auprès des forces "surnaturelles" qu'auprès de celles liées à la production de la richesse principale: l'agriculture. Nous avons déjà parlé de la solidarité villageoise néolithique dans le contexte des tâches collectives. Or, le creusage de canaux d'irrigation ou de drainage et la construction de barrages ou de digues afin de contenir les eaux nécessitent un renforcement de cette solidarité. Dans le cadre de sociétés où les liens entre le surnaturel et le naturel sont toujours très étroits, il est facilement pensable que les tâches de planification des travaux hydrauliques ainsi que leur mise en oeuvre aient pu être confiées à des chefs religieux.

La première conséquence visible d'une telle entreprise est certainement une augmentation sensible de la richesse des communautés paysannes grâce à une productivité accrue du travail agricole, accompagnée d'une augmentation des surplus alimentaires disponibles. La construction des grands temples illustre clairement ce fait. Pour assurer leur édification, il fallait que la société puisse disposer d'un centre de direction capable de définir les besoins religieux de la communauté et de prendre les décisions relatives aux travaux de construction; en même temps, elle devait pouvoir utiliser des surplus alimentaires et matériels significatifs afin d'assurer le temps de travail requis ainsi que l'entretien des ouvriers nécessaires

---

1. Nom donné à la période à partir du site de Ubaid, situé dans la plaine sumérienne [Carte 3].

à la tâche, sans oublier celui du personnel rattaché aux temples concernés.

À long terme, dans le courant du IVe millénaire, il devint possible aux sociétés paysannes de subvenir aux besoins d'un nombre de plus en plus important d'artisans, rattachés à la production de biens de luxe. En même temps, se produit un élargissement du commerce extérieur; un réseau commercial se tisse, impliquant les centres urbains naissants de la plaine de Sumer ainsi que les contrées lointaines, situées au-delà de la Mésopotamie.

Ainsi, à partie du milieu du IVe millénaire, pouvons-nous parler de l'émergence des traits majeurs de la civilisation sumérienne, dominant et marquant de façon décisive le reste de la Mésopotamie. Il est d'ailleurs probable que cette vigueur dont fit montre alors cette civilisation naissante ait été le fait d'une nouvelle population, fraîchement installée dans la région Sud de la Mésopotamie: les *parlants sumérien*. Même si l'origine de ces derniers fait toujours l'objet de débats entre les spécialistes, le phénomène à souligner est qu'ils ne se distinguent de leurs voisins immédiats de la région d'Akkad (située au centre de la Mésopotamie) que par la langue: le sumérien ne fait pas partie de la famille des langues sémitiques. Quant aux aspects matériels et culturels, on peut en souligner l'uniformité du Nord au Sud de la vallée. Tels les nomades Amorites qui, au début du IIe millénaire avant notre ère, vont fonder Babylone et se poser en héritiers de la civilisation élaborée avant eux, ces *parlants sumérien* semblent avoir poursuivi et mené à terme l'oeuvre de leurs prédécesseurs. Ils sont, par contre, responsables de la mise en place des structures du pouvoir politique étatique qui émergent avec la fin du IVe millénaire ainsi que du développement de l'écriture, support important de la centralisation qui s'amorce alors.

Dans la vallée du Nil, le développement de l'hydrologie paraît plus tardif. L'on peut le dater de l'époque du Gerzéen, dernière phase culturelle du Néolithique avant l'instauration de la première dynastie pharaonique (3500 - 3100). À la différence de la Mésopotamie, ce développement va grandement favoriser le regroupement des villages en zones économiques et politiques plus vastes, au profit de chefferies locales à caractère religieux ou agraire.

Quoi qu'il en soit des mécanismes régissant l'apparition de ces premiers pouvoirs locaux, la tradition égyptienne considérera toujours le chef de l'État comme le premier agriculteur, celui qui est directement responsable des grands travaux agricoles du pays. Une scène en relief sculptée sur une tête de massue en pierre montre d'ailleurs l'un des rois prédynastiques connus, le roi Scorpion, en train de creuser un canal, entouré des nobles de sa cour. Ce contrôle de l'hydrologie sera toujours le gage de la richesse de l'État pharaonique.

2. LA NAISSANCE DE L'ÉTAT

Il est important de souligner que le phénomène du développement du pouvoir et des structures politiques, en Égypte et en Mésopotamie, ne suit pas exactement le même modèle. En Égypte, le processus historique mènera à l'instauration d'un pouvoir pharaonique centralisé et s'étendant à l'ensemble de la vallée du Nil, comprise entre la Méditerranée au Nord et les premières cataractes de la région d'Assouan au Sud. En Mésopotamie, et d'abord à Sumer, ce pouvoir étatique se développera sur une base plus régionale, favorisant plutôt l'apparition d'une foule de petits États[1], chacun centré sur une grande cité: nous parlerons dans ce cas d'*État-Cité*[2].

L'apparition de la sphère du politique au sein des communautés villageoises est certes un phénomène fort complexe. Là aussi, il ne peut se réduire à un seul facteur et tout modèle explicatif doit pouvoir tenir compte des structures sociales existantes, au sein desquelles le politique émerge comme entité autonome. Au Proche-Orient, l'hydrologie joue un rôle important dans le processus de concentration du contrôle de la richesse. Cependant, d'autres facteurs semblent également participer au processus: le développement du commerce extérieur ainsi que la tendance à la stratification sociale. Ces deux phénomènes sont clairement présents dans la dernière partie du IVe millénaire. Ce qui est en cause, c'est la recherche, par certains groupes (familles ou clans), du contrôle de la gestion des ressources disponibles puis, ultimement, des bénéfices qui en découlent. Que l'argument initial ait été d'ordre religieux ou autre, peu importe vraiment. La conséquence est la mise en place, au-dessus des communautés villageoises, de nouvelles structures de pouvoir, articulées surtout autour de la question du contrôle de la production agricole.

En effet, si à l'origine, les communautés villageoises sont autonomes les unes par rapport aux autres, les nouvelles techniques agricoles (ainsi que les arguments idéologiques qui les accompagnent) entraînent de profonds changements; ces derniers se manifestent tant au niveau de l'organisation du travail que de son contrôle, ainsi que sur le produit qui en

---

1. Une douzaine environ dont: Ur, Uruk, Éridu, Umma, Lagash, Kish, Larsa, Nippur, Adab et quelques autres.

2. De préférence à *Cité-État*, cherchant en cela à mettre l'emphase sur la dimension étatique du phénomène urbain.

résulte. *À un premier niveau*, le travail demeure collectif, les communautés agricoles constituant les unités de base du travail agricole; il en sera de même pour les autres grands travaux, telles les grandes constructions publiques et religieuses. *À un second niveau*, le contrôle des eaux et la répartition des terres après la crue nécessitent un minimum de coordination entre les villages appartenant à un même bassin agricole. Il fallait donc mettre en place une sorte de "contrôleur ou de planificateur supérieur" en poste au-dessus des villages eux-mêmes; c'est le niveau des besoins matériels collectifs, ceux qui touchent la terre et l'eau, base de la production agricole. *À un troisième et dernier niveau*, nous retrouvons celui des forces de la Nature, telles qu'imaginées par les Anciens. Ces forces sont sacralisées; selon les modalités de la pensée égyptienne ou mésopotamienne, elles agissent dans l'univers comme des êtres réels et personnalisés. Dans ce cadre de pensée, il devient donc impératif de s'assurer leur bienveillance. Ces forces sacrées sont liées à la crue (l'eau), à la terre (fertilité) et au soleil (chaleur). C'est le niveau des besoins qui relèvent de l'imaginaire, généralement pris en charge par les sorciers, les prêtres, puis les "rois".

En Égypte, il semble que le pouvoir politique centralisé soit directement sorti du contrôle exercé par les chefferies naissantes. À l'origine, ces chefferies devaient exercer un pouvoir à caractère local, reposant sur la force et le prestige d'un clan dominant, comme c'est d'ailleurs le cas dans nombre de sociétés primitives révélées par l'anthropologie. Graduellement, ce pouvoir, de local qu'il était, s'est étendu à plusieurs villages, englobant ainsi les communautés de toute une région. Il est permis de croire qu'à l'époque phraonique, la division du pays en *nomes*, ou districts administratifs, remonte à cette période dite du prédynastique; en effet, chaque nome était représenté par une divinité locale, dont on retrouve des illustrations quelque temps avant la création de la première dynastie[1].

Quant à la question de l'unification politique de la vallée du Nil et de la création de l'État pharaonique avec la première dynastie, que l'on situe habituellement autour de 3100 avant notre ère, les faits sont loin d'être totalement assurés. La tradition égyptienne a cependant conservé le souvenir (réel ou mythique) de deux royaumes prédynastiques, l'un couvrant la région du Delta et l'autre, s'étendant sur l'ensemble de la Haute Égypte. L'unification politique aurait alors été le fait du roi Ménès, considéré comme le fondateur de la lignée pharaonique et de la nouvelle capitale du royaume: Memphis. Ce qui est certain, c'est l'existence du royaume du Sud. Quant à celui du Nord, certains auteurs le mettent en doute, alléguant qu'il s'agit d'une construction mythique ultérieure.

Cependant, la tradition du *Double royaume*, de la *Double couronne*, des institutions gouvernementales possédant une double structure, tel le *Double grenier*, ou même des aspects idéologiques relatifs à la conception du pharaon, telles *Les Deux Maîtresses* (Nekhbet et Ouadjet), le nom même de "roi", *nesout-bity* ("celui qui appartient au roseau et au lotus", les deux plantes héraldiques représentant chacune l'une des deux grandes régions traditionnelles du pays), voilà autant d'éléments qui, dès les premiers moments de l'histoire pharaonique, en définissent le caractère dualiste particulier.

---

1. Sur les documents figuratifs des rois prédynastiques Scorpion et Narmer, des emblèmes nomiques accompagnent le monarque dans ses diverses activités, à la manière de chefs locaux participant aux actions du roi. Ces emblèmes disparaîtront de l'entourage du pharaon dès les débuts de l'histoire dynastique, la centralisation ayant transformé ces anciens chefs locaux en simples exécutants du nouveau pouvoir.

Quoi qu'il en soit, une conquête de la Basse Égypte par les chefs de Nekhen (Hiérakonpolis), capitale de la Haute Égypte, est certaine. Elle doit se situer dans les années 3200 - 3100 avant notre ère. Suite à une série de batailles, menées par Scorpion et Narmer, le royaume du Nord est finalement annexé à celui du Sud, unifiant alors l'ensemble de la vallée sous un seul chef, le *nesout-bity*, expression que nous traduisons habituellement par *Roi de Haute et de Basse Égypte*[1].

À Sumer, le processus politique semble s'opérer plus lentement que dans la vallée du Nil. L'instauration des monarchies, au sein des États-cités, ne se réalise pleinement que vers 2750, avec la première dynastie de Kish. Les documents relatifs à cette époque laissent entrevoir une succession d'étapes favorisant une plus longue maturation: d'abord la mise en place de chefs politiques, militaires ou religieux temporaires et mandatés par les assemblées de "citoyens"; ensuite, la tendance de ces chefs à demeurer en position, grâce à leur prestige et à la force de leur clan; enfin, l'élimination du rôle électif des assemblées et la concentration des diverses fonctions entre les mains d'un seul homme et de sa famille, la famille royale.

Il importe également de souligner que ce développement de la monarchie se réalise dans un contexte où se produisent de nombreux affrontements entre États naissants. Non seulement ces guerres entre Cités sont-elles clairement rapportées dans les textes dits "héroïques" de l'époque[2], mais l'archéologie révèle qu'au même moment, les principales cités mésopota-

---

1. Il ne sera appelé *pharaon* que beaucoup plus tard. Ce dernier terme provient d'ailleurs de *per-aâ*, une expression égyptienne qui signifie "Grande Maison", c'est-à-dire le palais.

2. Par exemple, dans la série de textes épiques mettant en vedette le héros Gilgamesh.

miennes se dotent d'imposantes murailles pour assurer leur protection. Ainsi, au début du IIIe millénaire, Sumer, et avec elle, l'ensemble de la Mésopotamie et du Couloir syro-palestinien, se couvre de petits États, farouchement jaloux de leur autonomie et toujours prêts à se défendre contre un quelconque monarque local, rêvant d'unifier la vallée à son profit.

3. L'INVENTION DE L'ÉCRITURE

La mise au point d'un système d'écriture est en quelque sorte indissociable, au Proche-Orient, du processus de développement de l'État; tout au moins, à l'origine, l'apparition de l'écriture est certainement liée aux institutions visant à contrôler les activités économiques des communautés. En fait, les premiers documents écrits remontent aux derniers siècles du IVe millénaire. Il s'agit de tablettes sumériennes datant de 3300 avant notre ère et utilisant des signes pictographiques pour rendre l'information. D'après leur contenu, nous avons affaire à des documents comptables (pour fins d'inventaire ou de fiscalité) qui fournissent des données sur le nombre de têtes de bétail ou celui de sacs de grains.

De façon générale, l'écriture a pour fonction essentielle de conserver l'information et de la transmettre à quelqu'un d'autre. Ceci est rendu possible grâce à la mise au point d'un système de signes reconnus par les divers intervenants, à savoir: ceux qui compilent, conservent, transmettent et utilisent les informations ainsi "écrites". Pour les pharaons et les "rois" de Sumer, l'écriture s'est rapidement imposée comme un moyen efficace afin de contrôler la principale richesse du pays, faite de grain et de bétail. Lorsque l'on constate que c'est par la fiscalité que les monarchies s'enrichissent et trouvent les ressources nécessaires à l'entretien de leurs services administratifs, on comprend facilement pourquoi l'écriture a vite fait de servir à établir les cadastres, à réaliser le recensement des hommes et des bêtes et à comptabiliser les entrées de taxes.

En conséquence, les États naissants vont très tôt s'emparer de la nouvelle "découverte" et assurer son développement en un système pratique, composé de signes phonétiques. Alors que dans la vallée du Nil, le système hiéroglyphique sera opérationnel dès les premières dynasties, il faudra attendre les années 2600 pour trouver son équivalent à Sumer, grâce au rôle de pionnier joué par l'école de scribes de la cité de Shurrupak.

GUIDE DE LECTURE

Butzer, K. W.
EARLY HYDRAULIC CIVILIZATION IN EGYPT: A
STUDY IN CULTURAL ECOLOGY. University of Chicago
Press, Chicago 1976.

Cohen, Ronald et Elman R. Service (éditeurs)
ORIGINS OF THE STATE. THE ANTHROPOLOGY OF
POLITICAL EVOLUTION. Institute for the Study of Human
Issues, Philadelphie 1978.

Frankfort, H.
THE BIRTH OF CIVILIZATION IN THE NEAR EAST.
Anchor Book, New York 1956.

Mallowan, M. E. L.
L'AURORE DE LA MÉSOPOTAMIE ET DE L'IRAN.
Éditions Sequoia, Paris-Bruxelles 1965.

Redman, Charles L.
THE RISE OF CIVILIZATION.
W. H. Freeman and Company, San Francisco 1978.

Service, Elman R.
The Origins of Civilization in Egypt
ORIGINS OF THE STATE AND CIVILIZATION. THE PRO-
CESS OF CULTURAL EVOLUTION. W. W. Norton, New
York 1975, pp. 225 - 237.

Service, Elman R.
The Origins of Civilization in Mesopotamia
ORIGINS OF THE STATE AND CIVILIZATION. THE PRO-
CESS OF CULTURAL EVOLUTION. W. W. Norton, New
York 1975, pp. 203 - 224.

LES SOCIÉTÉS
DU PROCHE - ORIENT I
INTRODUCTION CONTEXTUELLE

Avec le IIIe millénaire et le développement de l'écriture, nos sources documentaires deviennent plus riches et nous permettent de pénétrer plus concrètement au coeur des sociétés du Proche-Orient. C'est la raison pour laquelle, avant d'aborder les éléments caractéristiques des grandes civilisations de la région, nous allons d'abord nous pencher sur un ensemble d'informations "contextuelles", à savoir: la géographie physique, les populations et les langues, les sources disponibles ainsi que le cadre chronologique général.

1. LES HOMMES ET LEUR ENVIRONNEMENT

Étant donné l'étroite relation qui existe entre l'Homme et les systèmes écologiques dans lesquels il évolue, il est impératif que nous précisions le contexte géographique des grandes civilisations qui vont maintenant retenir notre attention. Cette rapide exploration s'impose d'autant plus que, lorsque l'on compare les données géographiques de la vallée du Nil à celles de la Mésopotamie, l'on comprend beaucoup mieux les facteurs environnementaux qui favorisent la rapide unification et la cohésion politique de la première, alors que la seconde se voit constamment aux prises avec cette opposition presque insoluble entre régionalisme et empire, dilemne qui marque l'ensemble de son histoire. Il en va de même pour les questions relatives aux matières premières, aux possibilités du commerce, au rythme et à la nature des travaux agricoles, au régime des terres, etc.

A) L'ÉGYPTE PHARAONIQUE

(1) LA VALLÉE DU NIL

Dans le second volume de ses *Histoires*, Hérodote[1] parle de l'Égypte comme d'un don du Nil. Pour les anciens Égyptiens, *Hapy*, le dieu du Nil, était source de vie, déversant chaque année la quantité d'eau et de limon nécessaires aux hommes, aux animaux et aux plantes. Ils ignoraient les véritables sources du fleuve et, même lorsque les armées égyptiennes eurent occupé une bonne partie de la Nubie, territoire situé au Sud d'Assouan, ils continuèrent à penser qu'*Hapy* habitait une caverne de la région d'Assouan et que de là, il exerçait son action bienfaisante[2].

Depuis les explorations du XIXe siècle, nous savons que les sources du Nil se trouvent au coeur même de l'Afrique, à plus de 6 400 km de la Méditerranée. À y regarder de plus près, par contre, la vallée du Nil proprement "pharaonique" ne s'étire que sur 900 km environ, de la côte méditerranéenne jusqu'à la région d'Assouan, là où s'élevait l'ancienne ville d'Éléphantine. C'est immédiatement au Sud de cette ville frontière que l'on rencontre la première cataracte: il s'agit

---

1. Historien grec né à Halicarnasse (484 - 425 avant notre ère). Il visita l'Égypte, nous laissant toute une série d'observations personnelles ainsi que nombre de "récits" qu'il a recueillis auprès des Égyptiens eux-mêmes.

2. Il est intéressant de noter que Hapy avait également une *Maison* située au Sud du Caire actuel. De là, selon les Égyptiens, il fournissait le Delta en eau.

d'obstacles rocheux composés de pierres de granit, peu ou mal usées par les eaux, et qui rendent la navigation plutôt difficile. À partir du Moyen Empire (XIIe dynastie, 1991 - 1783), l'État égyptien se chargea d'y aménager des canaux navigables dont il confia l'entretien aux pêcheurs locaux.

Comme nous l'avons déjà souligné, l'Égypte pharaonique est composée de deux grandes régions: *au Sud*, nous avons la Haute Égypte (*To-Shéma*, en ancien égyptien) qui forme un long couloir encadré par des falaises et le désert. La largeur maximale des terres cultivables est d'environ 13 km. Cette zone fertile n'est cependant pas très régulière. En certains endroits, il arrive que les sables du désert atteignent les bords mêmes du fleuve. En d'autres lieux, les eaux de crue se répandent difficilement, ce qui nécessite l'utilisation de canaux d'irrigation afin d'humidifier adéquatement le sol. Malgré ce don du Nil, comme le rapportait Hérodote, rien n'est en fait "donné"; l'ingéniosité humaine, tout comme des efforts constants, demeurent la pierre angulaire des grandes réalisations égyptiennes.

Au Nord du pays, nous retrouvons le Delta ou Basse Égypte (*To-Méhou*). Elle forme une plaine bien arrosée, grâce à la subdivision du Nil en sept branches[1]. Il y poussait une riche flore, surtout composée de hauts herbages, propices à l'élevage du gros bétail. Notons qu'une zone de marécages, comptant anciennement pour les 2/5 de la surface du Delta, en recouvrait la partie Nord, formant une bande parallèle à la côte méditerranéenne. Les pharaons du Moyen Empire y entreprirent de grands travaux d'assèchement, comme d'ailleurs dans la région du Fayoum, afin de récupérer des terres nouvelles pour l'agriculture. Une conséquence de la présence de ces marécages fut que les ports du Delta, ouverts sur la

---

1. Il ne reste aujourd'hui que deux des anciens bras du fleuve.

Méditerranée, durent être construits sur les bras du Nil, à l'intérieur des terres.

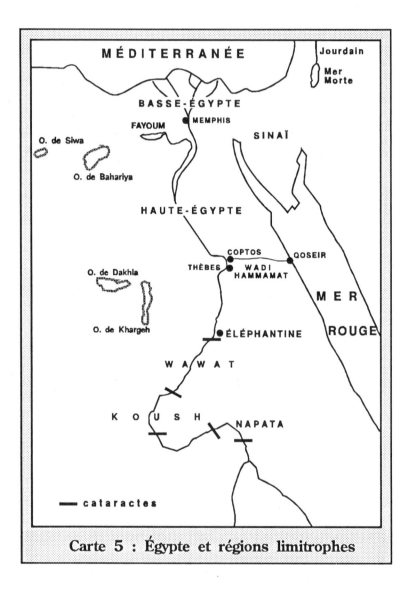

Carte 5 : Égypte et régions limitrophes

Pour nommer leur pays, les Égyptiens utilisaient une terminologie très significative: la zone cultivée, celle comprenant les terres irriguées naturellement ou de main d'homme, portait le nom de *Kémyet*, c'est-à-dire *Terre Noire*; par opposition, les déserts environnants étaient appelés *Désherèt*, c'est-à-dire *Terre Rouge*. Dans la mythologie, Kémyet et Désherèt sont représentées par deux divinités antagoniques, en lutte perpétuelle l'une contre l'autre: les dieux *Horus* et *Seth*. Cette opposition mythique qui fait partie du cycle des aventures d'Horus et de Seth est l'expression de cette lutte constante que devaient mener les habitants de la vallée contre les poussées envahissantes du désert!

Pour reprendre une expression favorite des Égyptiens, le Nil était davantage qu'un simple cours d'eau: c'était la *source de vie* par excellence pour ses habitants. Non seulement le fleuve constituait l'axe principal du transport au pays mais, en même temps, il permettait une flore et une faune des plus riches.

(2) LES RÉGIONS LIMITROPHES

Géographiquement, la vallée égyptienne est en contraste frappant avec la Mésopotamie. Le pays des pharaons jouit, entre autres, d'une relative sécurité que lui fournissent ses frontières naturelles. Pour sa part, la vallée mésopotamienne est une région complètement ouverte, facilement accessible à tout mouvement de population venant des steppes ou des montagnes qui la bordent. Ainsi, très tôt, les Égyptiens vont déborder en toute quiétude leurs propres frontières et se lancer dans l'exploitation des ressources disponibles dans les régions immédiatement adjacentes à la vallée[1].

Au Sud de la première cataracte se trouve la *Nubie* ou *Wawat*, nom donné par les Égyptiens à la région qui va d'Éléphantine jusqu'à la seconde cataracte. Elle est habitée alors par des population à majorité blanche, regroupées en de nombreuses petites entités politiques locales. Deux groupes reviennent constamment dans la documentation: les *Nechsiou* et les *Mèdjaï*. Ces derniers seront souventes fois utilisés par les Égyptiens comme force de police afin de "pacifier" le désert face aux autres groupes plus récalcitrants. Les richesses de la Nubie seront, à toutes les époques, fortement convoitées par l'État égyptien: l'or, l'argent, les pierres précieuses, le bois dur (tel l'ébène), le bétail et les plumes d'oiseaux. Plus au Sud, au-delà de la seconde cataracte, s'étend le *Koush*; y vivent essentiellement des populations noires.

Les relations de l'État égyptien avec la Nubie et le Koush à travers l'histoire peuvent se résumer ainsi: à l'Ancien Empire (2780 à 2258), les échanges à caractère économique dominent, baignant dans un climat de relations amicales; par contre, au Moyen Empire (1991 - 1786), l'Égypte se lance dans une politique d'expansion territoriale, avec colonisation

---

1. L'une des caractéristiques déterminantes de la vallée du Nil comme environnement physique est certes sa grande pauvreté en matières premières. C'est la raison pour laquelle les Égyptiens vont intégrer les déserts dans leur zone de mouvance économique et politique. Ils apprendront rapidement à utiliser les divers types de pierre qui s'y trouvent, dont le calcaire, le grès, la diorite, le granit, le basalte et l'albâtre; il en sera de même pour les minerais: or, argent et cuivre. Compte tenu des moyens importants qu'il faudra fournir afin d'exploiter les mines et les carrières du désert, ces entreprises seront, sous les pharaons, essentiellement monopole d'État. Quant au bois de construction, pour les édifices et les navires, le pays devra s'approvisionner à l'extérieur; en l'occurrence, ce bois proviendra de la région du Liban actuel, plus précisément des Monts du Liban qui s'élèvent derrière la ville de Byblos.

partielle de la région. Les Égyptiens de la XIIe dynastie construisent alors de nombreux forts au Wawat[1], y installent des familles entières, procèdent à des expéditions économiques d'envergure et engagent d'importants contingents de mercenaires locaux pour y maintenir l'ordre. Après la période difficile de l'occupation étrangère des Hyksôs au pays (1648 - 1540) et de l'alliance de ces derniers avec certaines populations du Wawat contre les Égyptiens, la politique du Nouvel Empire (1554 - 1085) se fait plus agressive. Les Amenhotep et les Touthmosis poussent la frontière Sud de l'Empire jusque vers la cinquième cataracte, en plein coeur du Koush. Cependant, avec la désintégration de l'Empire, au début du Ier millénaire, se constitue dans la région un État d'inspiration égyptienne: le Napata (Méroé). À la fin du VIIIe siècle, les monarques de Napata réussissent à conquérir l'Égypte et à y constituer une dynastie, la XXVe (712 - 663).

Dès l'Ancien Empire, l'État pharaonique s'est engagé sur la Mer Rouge, atteignant une contrée qui marquera fortement l'imaginaire égyptien: le *Pwéné*[2]. Situé sur la côte de l'actuelle Somalie, les expéditions égyptiennes l'atteignaient par la Mer Rouge, après avoir d'abord traversé le désert. De Coptos[3], hommes, navires démontés et matériel divers s'engageaient à travers le Wadi Hammamat puis, à la hauteur de Qoseir, faisaient voile vers le Sud. La très fameuse expédition effectuée à l'époque de la reine Hatschepsout de la XVIIIe dynastie (1483 -1462) et rapportée sur les parois du temple funéraire de la reine à Deir el'Bahari, illustre de façon éloquente les produits d'Afrique que convoitaient tant

---

1. Comme par exemple celui de Buhen.

2. Le *Punt* chez certains auteurs.

3. Ville située sur la rive orientale du Nil, au Nord de Thèbes.

les Égyptiens: or, encens, arbres à encens[1], ébène, ivoire, cannelle, myrrhe, singes, chiens, panthères, girafes et guépards.

À l'Est et à l'Ouest de la Haute Égypte, s'étendent les vastes zones arides des déserts arabique et libyque. Malgré leur apparence inhospitalière, y vivent de petits groupes de nomades et de semi-nomades. Ils occupent ou fréquentent les quelques rares oasis qui subsistent, surtout celles qui longent, à l'Ouest, la vallée du Nil: les oasis de Siwa, Bahrich, Dakhla et Khargeh.

Au Nord-Ouest, à la hauteur du Delta, s'étend la région habitée par les *Libyens*. Cette appellation provient de *Libou*, nom de la population d'origine indo-européenne qui s'installa dans la région lors des invasions des *Peuples de la mer*, survenues entre 1200 et 1100 avant notre ère. Avant les Libou, le territoire était occupé par les *Tchèhnyou* et les *Tchemhou*, des populations blanches apparentées aux groupes nord-africain dits "couchites-berbères". Ces groupes, vivant dans une région peu fertile, à l'exception d'une mince bande de terre longeant la Méditerranée, furent une source constante d'agitation pour la population égyptienne, surtout lors des périodes d'affaiblissement politique et de décentralisation du pouvoir pharaonique. Tout comme leurs "confrères" sémites du Sinaï, les Tchèhnyou et les Tchemhou cherchaient continuellement à s'installer comme sédentaires dans la verdoyante plaine du Delta: étant éleveurs de gros bétail, cette riche contrée ne pouvait qu'exercer sur eux un attrait irrésistible. Seul un État puissant et unifié était donc en mesure de les contenir et de policer leurs mouvements. Il n'est donc pas surprenant que, dès les premiers pharaons, la documentation

---

1. Que l'on transplantait ensuite dans les jardins royaux.

fasse état d'expéditions punitives organisées contre les tribus de Libye, avec des apports de butin considérables se comptant en milliers de têtes de bétail.

Au Nord-Est se dessine la péninsule du Sinaï. Zone de désert et de montagnes, elle comprend là aussi une mince bande humide, le long de la Méditerranée. Pour l'Égypte, cependant, l'intérêt de la région se portera surtout sur ses matières premières, très recherchées par les pharaons: des pierres précieuses, dont le turquoise[1], et du cuivre dont les mines furent exploitées dès les premières dynasties. On y trouve également des populations de Sémites nomades, appelées *Marcheurs du désert* par les anciens Égyptiens, elles aussi fortement attirées par les herbages du Delta.

B) L'ASIE OCCIDENTALE ANCIENNE

Si la géographie physique et le climat de la vallée du Nil offrent une relative uniformité, la situation est davantage complexe et diversifiée du côté de l'Asie occidentale ancienne. En simplifiant légèrement, il est possible de dégager la présence de trois grandes sous-régions, chacune avec son climat propre, sa végétation spécifique et, par conséquent, l'élaboration de modes de vie qui varient considérablement d'une sous-région à l'autre: (1) la zone des montagnes (au Nord et au Nord-Est); (2) les terres basses (au centre); (3) les steppes et le désert (au Sud) [Carte 6].

---

1. Une pierre bleue dont on retrouve, par exemple, des morceaux incrustés sur le masque funéraire en or de Toutankhamon.

(1) LES MONTAGNES ET LES AFFLUENTS DU TIGRE

Dans la partie Nord, les chaînes de montagnes du Taurus et de l'Arménie constituent un massif rocheux qui rejoint la chaîne du Zagros, cette dernière longeant la vallée mésopotamienne au Nord-Est: cet ensemble forme ainsi une longue ceinture qui s'étend de l'Asie Mineure jusqu'à la hauteur du Golfe persique. Même si les pics montagneux qui s'élèvent au-delà de 2 500 mètres sont rares, la majeure partie de cette région se situe entre 600 et 2 500 mètres. Or, au contraire de ce que l'on pourrait facilement supposer, cette zone de montagnes ne constitue pas une barrière naturelle protectrice pour la Mésopotamie.

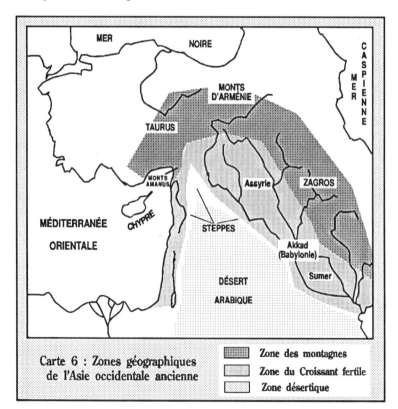

Carte 6 : Zones géographiques de l'Asie occidentale ancienne

▨ Zone des montagnes
▨ Zone du Croissant fertile
□ Zone désertique

En réalité, de nombreuses vallées la percent, creusées par les affluents du Tigre. Les populations montagnardes surent, à toutes les époques, les utiliser dans leurs contacts avec les paysans de la plaine. Au Nord, les sources du fleuve qui s'enfoncent profondément dans les montagnes d'Arménie ont également servi de voies de circulation, tant pour le commerce que pour le passage des populations en mouvement.

(2) LES TERRES BASSES: LE *CROISSANT FERTILE*

Formant un arc en dessous de la zone des montagnes, la région des plaines, que l'on nomme habituellement le *Croissant fertile*, comprend en fait deux régions nettement différenciées et séparées par les steppes syriennes: la Mésopotamie et le Couloir syro-palestinien.

I. LA MÉSOPOTAMIE

Bordée de montagnes et de roches argileuses, la Mésopotamie[1] s'étend tel un long ruban d'environ 1200 km sur une surface relativement plane. Son inclinaison vers la mer est d'ailleurs très minime puisqu'elle est d'à peine 1:10,000 (10 cm par kilomètre). Il faut cependant noter une différence majeure dans le comportement respectif des deux fleuves: alors que le Tigre, surtout dans sa partie Sud, coule assez rapidement et s'avère trop tumultueux au moment de la crue pour être soumis aux volontés des hommes, l'Euphrate descend paresseusement son chemin, changeant souventes fois

---

1. Mot qui, en grec, signifie *entre les deux fleuves*.

de parcours au cours des siècles, ce qui ne fut pas sans causer de sérieux problèmes aux habitants.[1]

À son tour, la plaine mésopotamienne peut se subdiviser en deux zones principales: au Sud, nous retrouvons la large plaine suméro-akkadienne qui, à maints égards, rappelle celle de la Basse-Égypte. Par contre, elle comporte de multiples petites zones agricoles relativement isolées les unes des autres, séparées qu'elles sont par des marécages ainsi que par des poches désertiques aux frontières mal définies. Au Nord, il existe une importante zone désertique qu'il fallait contourner, suivie ensuite de la riche plaine du Jézireh.

II. LE COULOIR SYRO-PALESTINIEN

Beaucoup moins uniforme que la vallée mésopotamienne, le Couloir syro-palestinien présente un visage très morcelé où se succèdent et s'interpénètrent, d'Ouest en Est, des plaines fertiles (adjacentes à la Méditerranée), des chaînes de montagnes avec leurs riches forêts (comme celles du Liban et de l'Anti-Liban), des vallées (comme celle du Jourdain), des steppes (en Syrie) ou des plateaux (à l'Est du Jourdain), et des déserts arides (donnant sur le désert arabique). Il n'est donc pas étonnant que dans le Couloir, l'habitat ait été essentiellement éclaté, menant à la création d'une foule de petits États locaux fermement accrochés à leur environnement particulier. Par contre, compte tenu de la position globale du Couloir par rapport à l'ensemble du Proche-Orient, on comprend facilement le rôle d'intermédiaire et de région de transit qu'il a toujours joué entre la Méditerranée orientale, la vallée égyptienne, l'Asie Mineure et la Mésopotamie.

---

1. Une carte des villes de la plaine de Sumer à travers les âges nous permet de constater qu'aucune ville importante n'a été érigée à proximité du Tigre. En outre, l'on peut noter que des villes placées à l'origine le long de l'Euphrate se retrouvent à long terme éloignées de ce dernier de plusieurs kilomètres.

(3) LES STEPPES ET LE DÉSERT ARABIQUE

La zone désertique principale de l'Asie occidentale ancienne est constituée du prolongement, vers le Nord, du désert arabique. Il s'étend parfois jusqu'aux rives de l'Euphrate alors qu'à la frange Nord-Est et Nord-Ouest, il se transforme en régions de steppe fréquentées par des nomades et des semi-nomades d'origine sémitique. C'est essentiellement de cette zone propice à l'élevage du petit bétail que partent les grands mouvements d'invasion, tels ceux des Amorites, des Cananéens, des Araméens et des Hébreux.

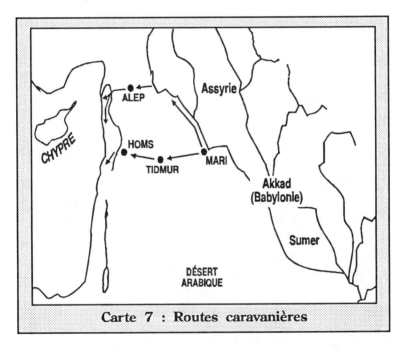

Carte 7 : Routes caravanières

Malgré la présence de cette importante zone aride, la vallée mésopotamienne n'en est pas pour autant isolée de la côte méditerranéenne. En fait, deux grandes routes terrestres la reliaient au Couloir syro-palestinien. Pour la première, les

141

caravanes quittaient la ville de Mari, située sur l'Euphrate, et se dirigeaient vers l'Ouest, en direction de la ville de Tidmour. Par la suite, elles ralliaient la vallée de l'Oronte à Homs. De là, elles bifurquaient soit directement vers la côte de la Méditerranée, soit vers les centres commerciaux du Sud, vers la Palestine. Pour ce qui est de la seconde, elle était utilisée autant par les marchands que par les armées: on quittait alors l'Euphrate dans sa partie Nord pour se rendre vers l'Oronte via la ville d'Alep.

(4) QUELQUES CONSÉQUENCES DE LA NATURE GÉOGRAPHIQUE DE LA MÉSOPOTAMIE

Afin de clore cette rapide description du milieu géographique de l'Asie Occidentale ancienne, il serait utile de souligner quelques-unes des conséquences de ce milieu sur l'histoire de la Mésopotamie. D'abord, les dimensions de ce territoire ainsi que le morcellement de l'habitat rendent difficiles la création et le maintien d'un État centralisé au profit d'un seul des nombreux petits États qui se partagent en fait la région. Ceux qui, à l'occasion, y parviennent[1], ne conservent la cohésion de leur *Empire* que de façon très temporaire et au prix de grands efforts politiques, économiques, diplomatiques et militaires. Par comparaison avec la situation d'unité et de stabilité politiques qui prévaut dans la vallée du Nil, la Mésopotamie offre une histoire politique très mouvementée, fortement marquée par l'opposition des forces centrifuges et centripètes.

La Mésopotamie est à la fois une voie relativement facile d'invasion ainsi qu'une zone très favorable au transit commercial. Au contraire de la vallée du Nil qui est davantage

---

1. Comme Babylone à l'époque d'Hammourapi (1792 - 1750).

isolée, la vallée luxuriante du Tigre et de l'Euphrate demeure un terrain de prédilection pour les mouvements migratoires occasionnels et pour ceux, plus constants, des nomades. Attirés par la fertilité du sol et par les richesses des sédentaires, des groupes de nomades descendent périodiquement des monts de l'Élam (au Sud-Est) et, à travers la Kerkha, envahissent Sumer; ou encore, venant du Zagros à travers la Diyala et le Zab, ils foncent sur la région d'Akkad (nommée Babylonie à partir du XIXe siècle avant notre ère) ou sur l'Assyrie. À l'Ouest, à partir des steppes syriennes, ils se dirigent, en quête de pâturages, le long de l'Euphrate, ou se répandent dans le Couloir syro-palestinien.

Quant au commerce, nous avons mentionné plus haut les deux grandes voies caravanières qui reliaient la Mésopotamie à la côte méditerranéenne. Au Sud, le Golfe persique constitue une voie maritime importante, source de contacts avec la vallée de l'Indus; des échanges indirects via Dilmun (peut-être Bahrein) furent particulièrement intenses durant la seconde moitié du IIIe millénaire, surtout sous le règne de Sargon d'Akkad (2371 - 2316). Vers l'Est, les routes marchandes suivent les vallées naturelles qui débouchent sur le Tigre et atteignent ainsi l'Élam et le vaste plateau iranien. Étant donné la pauvreté de la vallée mésopotamienne en matières premières, la documentation fait état, dès l'époque d'Uruk (3500 -3000 avant notre ère) d'importations de pierre de calcaire, de basalte et de pierres précieuses en échange de céréales.

2. LES POPULATIONS *HISTORIQUES*

La question de l'identification des peuples et des races demeure toujours un problème fort complexe. Et quand il s'agit de l'histoire du Proche-Orient ancien, la difficulté s'accroît du fait des millénaires qui nous séparent de cette lointaine époque. Ainsi, nous bornerons-nous à spécifier les grandes familles de populations qui constituent les principaux acteurs de cette histoire, à partir des traces directes ou indirectes qu'elles ont laissées dans la documentation écrite.

A) LA POPULATION ÉGYPTIENNE

Dès les premières dynasties, la population de la vallée pharaonique forme un groupe ethnique à la fois homogène et distinct des groupes humains environnants. Toutefois, l'étude des squelettes de l'époque prédynastique et celle des faits linguistiques démontrent que les Égyptiens *historiques* constituent le résultat d'un mélange de populations d'origines diverses. Ses composantes se réduisent à deux éléments principaux: une couche africaine, dite *libyco-berbère*, une famille de populations blanches habitant l'Afrique du Nord et à laquelle se rattachent les Tchèhnyou, les Berbères, les Bédouins et les Touaregs. À ce premier ensemble sont venus se mêler des groupes proto-sémitiques[1], originant certainement du Nord-Est, c'est-à-dire du Sinaï et possiblement de la péninsule arabique.

Les anciens Égyptiens s'appelaient eux-mêmes *Rome*, un mot qui signifie *homme*. Tout comme les Grecs qui considéraient les non-Grecs comme des *Barbares*, c'est-à-dire des étrangers ne participant pas à la culture grecque, les Égyptiens avaient

---

1. Populations ancêtres des Sémites historiques.

144

tendance à considérer leurs voisins de façon un peu méprisante: d'où les expressions de *viles* et de *misérables* dont les scribes les qualifient volontiers.

B) LES POPULATIONS DE L'ASIE OCCIDENTALE ANCIENNE

De ce côté-ci du Proche-Orient, la question des populations historiques se complexifie davantage. D'une part, les groupes humains sont de beaucoup plus nombreux et, comme nous le verrons plus loin, certaines populations demeurent encore d'origine obscure. De plus, force nous est de reconnaître que même pour une période aussi reculée, il est impossible d'identifier quelque race que ce soit: à l'époque, les populations sont déjà le résultat de mélanges multiples, impliquant parfois des groupes humains plus diversifiés. Dans ce contexte, il serait à la fois audacieux et erroné de faire correspondre *race* (les composantes physiques d'un groupe humain), *ethnie* (les composantes culturelles) et *langue* (les composantes linguistiques).

À titre d'exemple, prenons la formation du *peuple* sumérien. Lorsque l'on utilise le terme *Sumérien*, c'est pour désigner les communautés qui occupaient la plaine Sud de la Mésopotamie au IIIe millénaire et qui parlaient une langue appelée *sumérien* par ses habitants. Or, sur le plan anthropologique, ces Sumériens historiques ne se distinguent en rien de leurs voisins du Nord, les Akkadiens qui, eux, parlaient une langue tout à fait différente et d'origine sémitique. Par contre, la linguistique permet une possible reconstitution de la formation historique de la population de Sumer en trois phases ou composantes: à des groupes néolithiques seraient venues se joindre des communautés d'origine sémitique, et auxquelles se seraient ultimement superposés les *parlants sumérien*.

145

La seule possibilité qu'il nous reste afin d'établir une classification des populations de l'Asie occidentale ancienne est celle des grandes familles linguistiques. Ainsi, arrivons-nous à discerner deux grandes familles, les Sémites et les Indo-européens, auxquels s'ajoute une sorte de catégorie fourre-tout: les Asianiques.

(1) LES SÉMITES

Les populations qui se rattachent à cette première famille sont très largement répandues au Proche-Orient. Pour l'essentiel, elles occupent la vaste région du Croissant fertile ainsi que la péninsule arabique.

Historiquement, nous savons que, durant le Néolithique, des groupes de Sémites se sont stabilisés dans le Couloir syro-palestinien, se superposant aux groupes déjà présents et que les spécialistes qualifient de *Méditerranéens*. Quant à ces derniers, leur origine exacte nous échappe; tout au plus, ils semblent posséder des affinités anthropologiques et culturelles avec les autres populations du bassin de la Méditerranée. Toujours à l'époque du Néolithique, il est assuré que d'autres groupes de Sémites se sont dirigés du côté de la vallée du Nil participant, comme nous l'avons signalé plus haut, à la formation de la population égyptienne.

La situation se clarifie à partir du IIIe millénaire, grâce à une documentation plus nombreuse et, surtout, plus précise. Ainsi, nous pouvons constater que la diffusion des populations sémitiques dans la région de l'Asie occidentale ancienne est d'abord et avant tout soumise aux rythmes permanents ou périodiques des mouvements des tribus nomades (isolées ou regroupées) ainsi qu'aux invasions qui parfois en découlent.

À l'aube du IIIe millénaire, certaines populations sémitiques sont déjà stabilisées et sédentarisées: les *Akkadiens*, qui occupent le Nord de la plaine sumérienne; les ancêtres immédiats des *Assyriens* historiques; les populations du Couloir syro-palestinien, surtout dans sa partie Sud. Par contre, d'autres groupes continuent à nomadiser dans le périmètre Sud du Croissant fertile et à l'intérieur des steppes syriennes, attendant le jour où ils seront en mesure de se transformer en sédentaires.

Or, dans la réalité, ces mouvements de nomades se présentent sous diverses formes: de l'infiltration simple, par petits groupes, aux mouvements d'envergure qui se muent alors en de véritables invasions, en passant par la forme du semi-nomadisme, caractérisé par l'occupation temporaire d'une région donnée. Dans ce contexte, les relations entre sédentaires et nomades seront donc continuellement à l'ordre du jour et les États devront faire montre de beaucoup de fermeté afin de conserver l'intégrité de leur territoire. En l'absence d'un pouvoir adéquat, ils seront alors facilement submergés, comme cela se produit sporadiquement à travers les millénaires.

Voici d'ailleurs, pour fin de référence, un court tableau de ces grands mouvements d'invasion, permettant d'identifier les nouvelles populations qui font, périodiquement, leur apparition dans l'Histoire de l'Asie occidentale ancienne:

- les *Cananéens*, dans le Couloir syro-palestinien (2300-2000);
- les *Amorites*, dans l'ensemble de la Mésopotamie et particulièrement dans la région de Sumer-Akkad (2200-1800);
- les *Hébreux* et les *Araméens*, les premiers s'installant dans la partie Sud du Couloir syro-palestinien, les se-

conds se retrouvant au Nord du Couloir[1] et en Mésopotamie (1200 - 1000);
- les *Chaldu*, mieux connus sous le nom de *Chaldéens* qui
s'installent dans la plaine de l'ancienne Sumer, devenue
la Chaldée (vers 1100);
- les *Arabes* qui, aux VIIe - VIIIe siècles de notre ère,
constitueront le dernier mouvement d'invasion sémitique de l'histoire de la région.

(2) LES INDO-EUROPÉENS

Les populations de cette seconde famille linguistique entrent
plus tardivement sur la scène historique du Proche-Orient,
plus précisément à partir du IIe millénaire. Par contre, la
présence de ces peuples fut plus d'une fois déterminante
dans l'histoire politique de la région, l'Égypte comprise, suite
aux grands États et Empires qu'ils constituèrent rapidement.
Leur origine est encore aujourd'hui fortement controversée.
Certains auteurs identifient les steppes centrales de la Russie
comme zone de mouvance des Indo-européens (ou Indo-
aryens) alors que d'autres, plus récemment, les localisent dans
la région de la Thrace, région située au Nord des Balkans.
Quoi qu'il en soit, par vagues successives, des populations
indo-européennes quittent leurs steppes pour pénétrer en
Asie occidentale ancienne; ils se stabilisent ultimement en se
superposant aux populations autochtones et en créant de
nouveaux États: le Khatti (Hittite), le Mitanni, la Médie et
la Perse.

Pour fin de synthèse, nous pouvons distinguer deux grands
mouvements d'invasion: un premier qui se produit au début

---

1. Les anciens Cananéens sont alors totalement assimilés aux nouveaux arrivants,
sauf pour ceux de la zone côtière comprise entre Tyr et Ugarit qui porte dès lors
le nom de Phénicie.

du IIe millénaire, l'autre, à la fin du IIe et au début du Ier millénaire. En voici un tableau:

Premier mouvement:
- les *Hittites*, qui arrivent en Asie Mineure en passant par les détroits des Bosphores-Dardanelles;
- les *Mitanniens*, venant du Nord-Est par le plateau iranien et se stabilisant dans la partie Nord de la Mésopotamie;
- les *Aryas* qui, à travers le plateau iranien, descendent vers l'Inde aux alentours de 1500;

Second mouvement:
- les *Peuples de la mer* (dont les *Péleset*, c'est-à-dire les *Philistins*, les *Libou* et les *Phrygiens*)[1];
- les *Perses* (vers 1100), suivis des *Mèdes* (vers 800), sur le plateau iranien;
- les *Scythes* et les *Cimmériens* (vers 800 - 700) dans la région de l'Arménie actuelle.

(3) LES *ASIANIQUES*

Ce troisième ensemble de populations est beaucoup plus vague que les deux premiers que nous venons de présenter. D'abord, ses caractéristiques anthropologiques sont peu ou mal définies; ensuite, les affinités linguistiques de ces populations sont plus complexes à établir car beaucoup plus lâches. C'est, par contre, une "famille" commode dans la mesure où elle permet de regrouper les populations de l'Asie occiden-

---

1. À partir de 1200 environ, ces populations guerrières arrivent des Balkans à travers la Méditerranée orientale et envahissent l'Asie Mineure (où les *Phrygiens* font disparaître le royaume des Hittites); d'autres groupes, dont les *Péleset*, s'engagent le long des côtes méditerranéennes du Couloir, alors que certains tentent d'envahir la vallée du Nil par le Delta; enfin, des groupes s'installent à l'Ouest de la Basse Égypte.

tale ancienne qui n'ont d'affinité ni avec les Sémites, ni avec les Indo-européens.

D'après les quelques indications fournies par l'archéologie, il semble que ces groupes *asianiques* étaient essentiellement des montagnards. Ils occupaient les montagnes et les hauts plateaux qui s'étendent de l'Asie Mineure jusqu'à la hauteur de Sumer. Vers la fin du Néolithique, certains de ces groupes sont descendus vers les zones plus basses de la plaine mésopotamienne et y ont pratiqué l'agriculture. Plus tard, à partir du IIIe millénaire, d'autres groupes de montagnards les suivirent, créant là aussi des mouvements d'invasion perturbant la quiétude des sédentaires de la vallée.

Globalement, les spécialistes font habituellement entrer les populations suivantes dans la famille *asianique*:

- les *Sumériens*, plus précisément les "parlants sumériens" que nous avons signalés plus haut;
- les *Élamites*, vivant dans les montagnes situées à l'Est de Sumer et créateurs d'une civilisation hautement sophistiquée;
- les *Gouti* et les *Lullubi*, occupant le Zagros à la hauteur de la Babylonie et qui envahirent la plaine vers 2200 avant notre ère;
- les *Hourrites* qui, au IIe millénaire, pénètrent dans la plaine du Jézireh, poussant des pointes jusque dans le Couloir syro-palestinien;
- les groupes pré-hittites du plateau d'Anatolie (au coeur de l'Asie Mineure), tels les *Hattis*[1].

---

1. Ce sont ces Hattis qui ont laissé leur nom aux Indo-européens qui s'installèrent en Anatolie au début su XIXe siècle et que l'on appelle Hittites.

3. LA DOCUMENTATION

L'étude des sociétés éloignées dans le temps, telles l'Égypte ou Babylone, pose à l'historien moderne une série de problèmes particuliers, surtout par rapport à la documentation qu'il peut utiliser. D'abord, il y a la quête parfois difficile des informations par le biais de l'archéologie; ensuite il faut procéder à la restauration des objets et des textes mis à jour, ainsi qu'à leur classification; enfin, il y a l'édition des documents, suivie de leur analyse. De façon générale, l'ensemble des opérations s'avère être un processus à la fois long et coûteux. De plus, les sources écrites posent des problèmes spécifiques de traduction et d'interprétation: épineuses questions si l'on songe qu'il existe toujours un décalage entre la langue écrite et la langue parlée, et que l'analyse des textes entraîne souventes fois d'âpres débats entre spécialistes sur le vocabulaire et les concepts qu'il sous-tend.

Afin de familiariser le lecteur avec la documentation en provenance du Proche-Orient ancien, nous allons procéder à une présentation typologique des sources monumentales et littéraires qui servent de base pour la reconstitution et l'analyse des grandes sociétés de la région. Selon notre habitude, nous diviserons les informations selon les deux grandes régions du Proche-Orient: l'Égypte et l'Asie occidentale ancienne.

A) L'ÉGYPTE PHARAONIQUE

(1) LES DOCUMENTS NON-ÉCRITS

Ces derniers forment la majeure partie de ce que l'archéologie a livré depuis les premières fouilles réalisées en sol égyptien, à partir de l'expédition de Bonaparte en 1798. Nous pouvons les classer en trois catégories: les objets usuels et votifs, les scènes et les peintures, les monuments.

I. LES OBJETS USUELS ET VOTIFS

Si les premiers se rapportent à la vie quotidienne, les seconds représentent des objets dédicacés à une divinité particulière, les raisons pouvant varier de la fondation d'un temple à un acte de remerciement pour une intervention divine jugée importante (une victoire militaire, une guérison, etc.). La très grande majorité des objets provient, cependant, des tombes. Selon la conception égyptienne de l'au-delà et la religion funéraire qui en découle, les tombes sont considérées comme des *maisons d'éternité* (*per-djet* en langue égyptienne), simple prolongement de l'habitation des vivants.

Dès l'époque du Badarien, au début du IVe millénaire avant notre ère, les tombes renferment les objets dont le défunt avait besoin pour vivre normalement dans l'autre monde: des vases contenant des aliments divers (viande, poisson, céréales) ou des parfums; des ustensiles d'ivoire ou d'os; des instruments variés (outils pour l'agriculture ou l'artisanat); des bijoux de tous genres (colliers, bracelets, bagues, ceintures, coiffures, peignes, amulettes, épingles à cheveux); des vêtements; des armes. À partir du Gerzéen, vers 3500 environ, le mobilier fait son apparition dans les tombes, sous forme de table, de chaise et de banc.

Pour sa part, la statuaire joue un rôle très important dans le culte funéraire lui-même et les tombes ont livré de nombreuses pièces, et à toutes les périodes de l'histoire égyptienne. Ce phénomène est principalement dû à la valeur magique de remplacement du corps que représentait la statue du défunt.

On trouve également des jeux, des instruments de musique, des modèles en bois de maisons, de navires ou autres, sans oublier le matériel typique des scribes et des lettrés: palette, encrier et papyrus.

II. SCÈNES ET PEINTURES

Ces documents forment un corpus unique en son genre et constituent une véritable encyclopédie par l'image de la vie quotidienne des anciens Égyptiens depuis l'époque de la IIIe dynastie. Ils fournissent, en outre, de précieuses indications sur la vie matérielle ainsi que sur la technologie de l'époque pharaonique. Ainsi, grâce aux représentations contenues sur les parois des tombes, il est possible de saisir la nature et l'évolution des techniques prévalant dans les diverses industries: poterie, tissage, métallurgie, ébénisterie, construction navale, etc. L'on peut également suivre pas à pas l'évolution de la mode et des styles en vogue au sein de la classe dominante du pays: coupes de cheveux et coiffures, types de vêtements, mobilier.

III. LES MONUMENTS

Lorsque nous parlons de monuments, nous entendons plus spécifiquement l'ensemble des constructions, dont certaines sont encore visibles aujourd'hui. Or, dans ce domaine, le Temps et les Hommes n'ont certes pas rendu justice aux nombreux travaux réalisés par les ouvriers spécialisés et les masses paysannes égyptiennes. En fait, nous connaissons beaucoup mieux les temples dédiés aux dieux et au culte funéraire, ainsi que les tombes de toutes les époques que les habitations des vivants. Guidé par l'idéologie religieuse, le principe de l'architecture rituelle ou funéraire inclinait à construire *pour l'éternité,* donc en matériaux durables, de préférence en pierre. Cette dernière fait graduellement son apparition comme matériau de construction à la fin du prédynastique. Dans les grands édifices, elle ne remplacera définitivement la brique qu'avec la IIIe dynastie[1]. Il en fut de même pour les temples dont le gigantisme et les qualités architecturales ne cessent encore d'étonner le profane[2].

Pour sa part, la maison des vivants était construite de matériau friable à la longue: le pisé ou la brique crue, séchée au soleil. La pratique n'a guère changé de nos jours et le visiteur qui se rend dans la vallée du Nil sera surpris d'y retrouver, dans les campagnes, le même genre de construction. Les paysans doivent se contenter de petites maisons rectangulaires à une ou deux pièces alors que les demeures des grands fonctionnaires se transforment en de véritables "petits palais", avec cour intérieure, greniers, jardin et étang. Quant aux palais royaux, où se trouvent les édifices qui abritent le pharaon et sa suite, ainsi que ceux servant à l'administration centrale du pays, ils étaient soumis au principe tacite du *un palais à chaque nouveau règne*. Les différentes structures étaient construites de brique dont les murs étaient par contre recouverts de fresques diverses, peintes sur stuc.

(2) LES DOCUMENTS ÉCRITS

Considérés dans l'ensemble de notre documentation, les sources écrites représentent la partie la plus importante de nos informations. Elles permettent, entre autres, de connaître l'événementiel, les personnages, la vie sociale et politique, les structures et le contenu de la pensée, la littérature et nom-

---

1. Voir l'ensemble architectural du pharaon Djéser à Saqqara (la fameuse pyramide à degrés).

2. Voir le grand temple d'Amon à Karnak ou encore, le temple funéraire de Ramsès III à Deir el'Médineh, en face de Louxor.

bre de détails par rapport aux sciences et techniques, ainsi qu'aux diverses manifestations artistiques.

Pour fin de classification, nous allons classifier les documents écrits en deux grandes catégories: les inscriptions et les textes.

I. LES INSCRIPTIONS

Par définition, les inscriptions sont des textes généralement courts. Elles utilisent surtout la pierre comme support. Leur nombre est très imposant compte tenu de leurs multiples usages ainsi que du goût développé des anciens Égyptiens à laisser partout et sur n'importe quel support des traces de leur existence (graffiti)[1].

LES INSCRIPTIONS CHRONOLOGIQUES:

Ces dernières nous permettent de reconstituer l'événementiel, c'est-à-dire l'histoire politique. Elles sont surtout constituées d'un nom de pharaon ou de celui d'un fonctionnaire, accompagné de ses titres et de la date du règne du monarque pour lequel il travaille. Parfois, elles renferment des informations plus spécifiques, selon l'objet de l'inscription. En fait, bon nombre de pharaons ainsi que de personnages plus ou moins importants dans la hiérarchie sociale (fonctionnaires ou auteurs de livres de sagesse, artisans) ne nous sont connus que par leur nom et leurs titres trouvés sur des monuments ou des objets d'usage courant.

C'est particulièrement le cas pour l'époque thinite, celle des deux premières dynasties, dont l'histoire politique nous

---

1. C'est par centaines que ces graffitis ont été trouvés, par exemple, au Sinaï, au Wadi Hammamat ou dans la région d'Assouan.

échappe presque totalement. Ce qui nous reste de cette période, ce sont les noms des rois inscrits sur des vases, des plaques d'ivoire, des sceaux retrouvés dans leur tombe, ou sur les stèles de pierre, érigées à l'entrée de l'enceinte entourant leur tombe, afin d'en identifier le propriétaire.

Sous les premières dynasties, le nom du pharaon était inscrit à l'intérieur d'un *sérech*, représentant le mur d'enceinte ainsi que la façade du palais royal. Le *sérech* était à son tour surmonté d'une représentation du dieu Horus, le pharaon étant considéré comme l'incarnation vivante de la divinité. Toute-

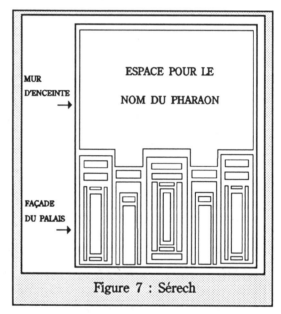

Figure 7 : Sérech

fois, à l'époque de l'Ancien Empire, les scribes développèrent l'habitude de placer le nom royal dans un cartouche, formé à partir du signe hiéroglyphique utilisé pour écrire le verbe *shéni*, c'est-à-dire *encercler*[1]. La présence des cartouches dans les textes et les inscriptions nous est fort utile puisqu'elle permet d'identifier rapidement le nom du roi concerné ainsi que la date du règne. Certaines inscriptions sont plus explicites, telle celle de Touthmosis III, datée de la 50e année de

---

1. Les anciens Égyptiens disaient d'ailleurs du pharaon qu'il était *celui qui encercle le monde*.

son règne (1434) et trouvée sur l'île de Séhel, au Sud de la première cataracte[1]:

> An 50, premier mois de la Saison de la Récolte, jour 22, sous la Majesté du roi de Haute et de Basse Égypte, Men-khéper-Rê, doué de vie. Sa Majesté a ordonné que ce canal soit creusé après qu'elle l'eut trouvé obstrué par des pierres: aucun bateau ne pouvait y voguer. C'est le coeur heureux qu'il descendait le courant car il avait tué ses ennemis. Le nom du canal est *Ouverture du chemin dans la beauté de Men-khéper-Rê*, qu'il vive éternellement! Ce sont les pêcheurs d'Éléphantine qui le creuseront chaque année.

Les pharaons ne manquaient pas de marquer de leurs sceaux les constructions qu'ils commandaient, ainsi que les restaurations de monuments érigés par leurs prédécesseurs. Un bel exemple de construction classique demeure l'ensemble architectural du temple de Karnak, dédié au dieu Amon, divinité dynastique depuis le Moyen Empire. Les premiers édifices remontent à la XIIe dynastie, avec le petit sanctuaire construit sous Aménemhat Ier (1992 - 1962). Successivement, les pharaons y ont ajouté de nouvelles structures, surtout à l'époque du Nouvel Empire, période d'exceptionnelle richesse pour le pays. Voici une inscription de Touthmosis III, trouvée dans le *Saint des Saints*, à Karnak:

> Voici, Ma Majesté a érigé pour Lui un auguste Saint des Saints, l'endroit favori d'Amon, du nom de *Son grand trône est comme l'horizon du ciel*, en pierre de grès tirée de la Montagne Rouge[2]. Son intérieur fut recouvert d'électrum[3].

---

1. La traduction des documents égyptiens est de l'auteur.

2. Carrière située près du Caire actuel.

3. Métal précieux aux composantes d'or et d'argent.

La suivante provient également de Karnak et fait référence à une restauration réalisée du temps de Touthmosis III:

> Voici, Ma Majesté retrouva cet édifice de briques, construit par les ancêtres, très en ruine. Ma Majesté elle-même le restaura de ses deux mains, à la fête de *Étendre la corde*[1].

Les pharaons n'étaient pas les seuls à laisser des inscriptions de ce genre. Que ce soit les grands commis de l'État en mission, les fonctionnaires locaux dans leur province, les surintendants de divers travaux ou de simples scribes, voilà autant de personnages qui nous ont laissé des traces de leurs actions ou des références directes aux faveurs royales dont ils étaient comblés. L'inscription qui suit est de Néhi, vice-roi du Koush sous Touthmosis III; elle date de l'an 52 (1432):

> Transport de tributs des pays du Sud, se composant d'or, d'ivoire et d'ébène, par le prince, le comte, le porteur du sceau royal, l'Ami unique, celui qui satisfait le coeur du roi à la Corne de la Terre[2], celui qui a accès au roi (...), vigilant pour le Maître du palais, le fils du roi, gouverneur des pays du Sud, Néhi (...).

LES INSCRIPTIONS FUNÉRAIRES:

Pour l'essentiel, elles proviennent des tombes et sont directement reliées aux besoins cultuels et philosophiques du culte des morts. Nous pouvons les subdiviser en trois groupes: les

---

1. Cérémonie qui a lieu lors de l'établissement des lignes d'arpentage d'un édifice à construire. L'opération se réalisait à l'aide de cordes et, dans le cas de temples ou de palais, le pharaon en présidait le déroulement.

2. Nom donné à une région du Koush.

stèles funéraires et les inscriptions cultuelles; les inscriptions biographiques; les légendes qui accompagnent les scènes en relief et les peintures murales des tombes.

Les stèles et les inscriptions funéraires servent à identifier le défunt et à lui assurer la survie[1]. Ces documents fournissent le nom et les titres de l'individu ainsi qu'une liste d'offrandes qui était lue lors des cérémonies du culte funéraire. Souvent, l'inscription fournit des détails sur les fonctions occupées par le propriétaire de la tombe. On trouve également sur ces stèles les fameuses *confessions* où le défunt raconte le Bien qu'il a prodigué pendant sa vie et le Mal qu'il a su éviter. C'était une sorte de proclamation de bonne conduite afin de passer sans encombre l'étape du jugement dernier.

Les inscriptions biographiques apparaissent avec la IIIe dynastie. Leurs auteurs sont des membres de la famille royale et des fonctionnaires de l'État. Ces textes qui recouvrent les parois intérieures des tombes et qui jouxtent des textes à caractère plus "religieux" (invocations, hymnes aux dieux, rituels) racontent les faits et gestes des personnages concernés en tant qu'administrateurs publics. On y trouve donc de nombreux éléments de l'événementiel qui nous seraient autrement inconnus. L'exemple qui suit est une lettre pleine de fraîcheur adressée par le roi Pépi II, vers 2260, au nomarque d'Éléphantine, Harkhouf. La lettre date de l'an 2 du jeune pharaon, alors qu'il n'avait que 8 ou 10 ans. Étant donné l'importance du document pour son récipiendaire, on comprend facilement pourquoi la missive royale a été recopiée dans sa tombe:

---

1. Si le corps du défunt venait à disparaître, les Égyptiens croyaient que son nom (tout comme les représentations sous forme de statue, de relief ou de peinture) suffisait à en maintenir l'existence.

Tu dis dans ta lettre que tu as amené un pygmée du pays des Habitants de l'Horizon, comme le pygmée amené par le porteur du sceau royal Bawerded, de Pwéné, à l'époque d'Isési[1]. Et tu dis à Ma Majesté que jamais auparavant un semblable à lui n'avait été ramené par quiconque ayant visité le Yam[2]. En vérité, je sais que tu fais ce que ton Maître aime et apprécie. En vérité, tu passes tes jours et tes nuits, pensant à moi (...)

Viens au Nord, au palais, immédiatement. Fais vite et amène le pygmée avec toi. S'il descend avec toi en bateau, prends des gardiens qui devront le surveiller sur le pont de peur qu'il ne tombe à l'eau. Aussi, place des gardes autour de sa tente la nuit et inspecte-le dix fois durant la nuit. Ma Majesté désire voir ce pygmée plus que tous les tributs du Pays des mines et de Pwéné.

Il était capital que les défunts puissent revivre dans l'au-delà les moments agréables de leur vie terrestre. Pour y arriver, ils avaient soin de faire graver sur les murs internes de leur *maison d'éternité* les scènes de la vie quotidienne qui leur étaient familières: travail, festivité, loisir. Afin d'égayer et de spécifier ces "bandes dessinées", on les complétait de légendes contenant des altercations entre les personnages, des chansons, des réflexions ou même des ordres émanant d'un supérieur. Ces courts textes sont souvent remplis d'humour et de poésie spontanée. Voici deux exemples tirés des scènes en relief du temple funéraire d'Hatschepsout et racontant la fameuse expédition de l'an 9 au Pwéné:

Gare à tes pieds, compagnon! En fait, la charge est lourde.

---

1. Pharaon de la Ve dynastie, vers 2450.

2. Région située au Sud de la seconde cataracte.

Tout se passera bien pour nous. Les arbres à encens du Pays du dieu sont destinés au temple d'Amon. Ce sera là leur place, où Maâtkarê[1] les fera pousser dans son jardin, près de son temple, selon ce qu'a ordonné son père[2].

LES INSCRIPTIONS RELIGIEUSES:

Cette dernière catégorie d'inscriptions représente une source très importante d'informations à caractère historique et idéologique. On les trouve gravées sur les parois internes et externes des divers temples de la vallée. Ces derniers sont en effet totalement recouverts de reliefs narrant les faits et gestes du chef de l'État et accompagnés de divers textes hiéroglyphiques. Aucune surface n'est ménagée, pas même les colonnes, ni les plafonds! Il va sans dire que la variété des sujets traités est très grande: hymnes et hommages aux divinités, textes mythiques, philosophiques ou funéraires, rituels journaliers, liste des fournitures reçues par le temple, hommages multiples envers le pharaon, scènes de bataille, annales royales, liste chronologique des pharaons. Et l'inventaire n'est pas exhaustif!

II. LES TEXTES

LES SUPPORTS DE L'ÉCRITURE

Fort heureusement pour notre compréhension de la civilisation égyptienne, les inscriptions ne constituent pas nos seules sources d'information. Il y a ce que nous appelons les textes, c'est-à-dire tout document généralement rédigé sur papyrus.

---

1. Le prénom de la reine Hatschepsout.

2. C'est-à-dire le dieu Amon.

L'*invention* qui permit l'utilisation de la plante de papyrus [Figure 8: (a)] remonte très certainement à la fin du prédynastique ou au tout début de la première dynastie: on a d'ailleurs trouvé deux rouleaux de papyrus dans la tombe de Oudimou (cinquième roi de la Ière dynastie) à Saqqara. Ce support *papier* de l'écriture a fait le renom de l'Égypte à travers l'Antiquité et son usage s'étend jusqu'au début du Moyen-Age occidental, époque où le papyrus a été remplacé par le parchemin.

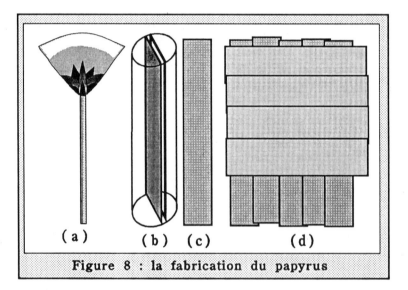

(a)   (b)   (c)   (d)

Figure 8 : la fabrication du papyrus

C'était en fait un produit de haute qualité: il était blanc, permettant un contraste parfait avec les textes qu'il supportait; ensuite, il n'agissait pas comme un buvard, de sorte qu'il était possible d'écrire à l'aide d'un calame et d'encres de diverses couleurs. Sa fabrication requérait cependant patience et minutie de la part des artisans, ce qui en faisait un produit de luxe, utilisé d'abord et avant tout pour les documents importants.

Même si aujourd'hui la plante de papyrus a totalement disparue de la vallée, à l'époque pharaonique elle poussait par touffes serrées dans les zones marécageuses du fleuve. Elle pouvait atteindre 5 à 6 mètres de hauteur. Une première opération consistait à couper la tige en sections correspondant aux dimensions de la feuille de papier désirée [Figure 8: (b)]. Ensuite, l'écorce extérieure était enlevée, dégageant le coeur de la tige, qui était alors coupé en lanières [Figure 8: (b) et (c)]. Ces dernières étaient ensuite placées côte à côte sur une pierre plate; légèrement superposées, elles formaient une première couche [Figure 8: (d)]. Une seconde couche suivait, déposée à angle droit sur la première. L'artisan mouillait ensuite le tout, qu'il martelait délicatement à l'aide d'un maillet de bois. Grâce à ce travail et à l'action chimique de la sève naturelle du papyrus, les fibres s'étendaient, s'interpénètraient puis, se collaient. Une fois séchée, la feuille était prête pour l'écriture. Selon les besoins, un rouleau de papyrus pouvait comporter un nombre plus ou moins grand de feuilles, collées les unes aux autres en même temps que leur fabrication individuelle.

Dans les écoles de scribes, rattachées aux palais, aux grands temples ou encore, au service de certains grands fonctionnaires locaux, les élèves utilisaient, outre le papyrus, des ostraca et des tablettes de bois, support moins coûteux que le papier. Les ostraca sont des morceaux ou des éclats de calcaire, faciles à obtenir et parfaits pour la rédaction de courts textes et d'extraits de textes. Parfois, cependant, ces ostraca peuvent atteindre des dimensions imposantes. Étant donné que l'ostracon offre un support économique pour écrire, il est donc parfaitement adapté pour les exercices scolaires. Dans ce contexte, il n'est pas étonnant que les archéologues en aient trouvés par milliers. Par exemple, à Deir el'Médineh, village des ouvriers des tombes royales de la Vallée des Rois et de la Vallée des Reines, situées en face de Thèbes, l'école de scribes a été active pendant près de 5 siècles, nous livrant un éventail d'informations aux saveurs quotidiennes parfois des plus suaves.

Quant aux tablettes de bois, elles étaient recouvertes d'un stuc de plâtre. Une fois utilisée, la surface était grattée et recouverte d'une nouvelle couche de stuc. La technique était à la fois simple et très peu coûteuse.

LES PRINCIPALES CATÉGORIES DE TEXTES

Pour le moment, nous retiendrons les principales catégories de textes, à savoir: les listes royales, les annales, les documents administratifs, les textes littéraires et "scientifiques".

Les listes royales:

Il s'agit de listes qui comportent le nom des rois ayant régné depuis l'époque mythique des dieux jusqu'à la date de leur rédaction. Nous en possédons une douzaine, compilées entre la Ve et la XIXe dynasties[1]. Certaines de ces listes sont incomplètes puisque le nom de certains pharaons semble avoir été volontairement omis, pour des raisons politiques ou personnelles. Cependant, ces documents sont de la plus haute importance pour l'établissement de la chronologie.

Il existe une autre liste royale qui, à l'origine, constituait une véritable histoire des pharaons d'Égypte. En effet, Ptolémée II Philadelphe (284 - 246), pharaon grec de de la dynastie des Lagides, commanda auprès de Manéthon, un lettré égyptien hellénisé, la rédaction d'un ouvrage sur l'histoire du

---

1. Huit d'entre elles proviennent des milieux sacerdotaux officiels alors que quatre ont été rédigées par des scribes de Deir el'Médineh, concernant les rois de la XVIIIe dynastie.

pays. Malheureusement l'oeuvre intégrale a été perdue[1]; seuls des extraits synthèses nous sont parvenus, comme celui que rapporte l'historien juif Josèphe, du premier siècle de notre ère. Il est à noter que le découpage en dynasties[2] que Manéthon avait adopté pour structurer son histoire est encore valable de nos jours, moyennant quelques modifications et ajustements[3].

Les annales:

À l'époque du Nouvel Empire, les pharaons militaires prirent l'habitude de couvrir les parois extérieures des murs des temples ainsi que celles des pylônes, de textes et d'illustrations narrant leurs divers exploits en politique étrangère. Tout comme pour les annales trouvées en Assyrie, celles de l'Égypte avaient un but essentiellement religieux, relevant de l'idéologie juridico-religieuse du roi-dieu. Le roi était en fait considéré comme le fils d'Amon, dieu suprême du pays et de l'univers. Ainsi, comme le pharaon agissait par et pour son *père* Amon, il se devait de lui faire part de ses actions, c'est-à-dire de chanter au dieu les divers actes accomplis en son nom. Si, en général, ces annales sont relativement courtes, celles des rois Touthmosis III et Ramsès II contiennent une foule de détails sur leur politique extérieure expansionniste. Ces textes sont en outre d'une grande qualité littéraire.

---

1. Son ouvrage portait le titre de *Aegyptiaca*.

2. Le terme de *dynastie* est de Manéthon; le mot égyptien utilisé dans les documents de l'époque était celui de *per*, c'est-à-dire *maisonnée*.

3. Par exemple, chez Manéthon, la VIIe dynastie est fictive alors que d'autres, comme les Xe et XIe, sont parallèles dans le temps.

Les documents administratifs:

En comparaison avec la masse de textes provenant d'archives royales et de bibliothèques découvertes à date en Mésopotamie, l'Égypte est malheureusement très pauvre en documents de ce genre. Rédigés en grand nombre sur papyrus par l'armée de scribes qui géraient l'État pharaonique, les documents administratifs ont presque tous disparus. Ce que nous possédons aujourd'hui est très mince et, surtout, mal réparti dans le temps; ils sont, d'autre part, assez nombreux de la période ramesside (les XIXe et XXe dynasties) jusqu'à l'époque romaine.

Connaissant bien les divers rouages de l'administration centrale et locale du pays, nous savons que toutes les activités politiques, économiques, religieuses ou culturelles étaient notées avec force précision; il en allait de même pour tout ce qui relevait de la justice ainsi que de l'administration interne du palais et des temples. Cependant, ce n'est que très rarement que certains fragments ont pu être préservés, comme c'est le cas, par exemple, avec les archives du temple funéraire de Néferirkarê-kakai[1], ou encore avec les éléments comptables du Papyrus hiératique E. 3226 du Louvre qui rapporte les opérations journalières des fonctionnaires du Grenier Central à l'époque de Touthmosis III.

Certains particuliers, membres de la classe dirigeante et possédant de grands domaines, géraient leurs biens en s'aidant de documents administratifs assez semblables à ceux prévalant pour la gestion de l'État. Au hasard des fouilles, des

---

1. Troisième pharaon de la Ve dynastie, vers 2475 avant notre ère. Il s'agit des papyrus d'Abousir, dont les fragments couvrent la période d'exercice qui s'étend du règne d'Isési (vers 2390) jusqu'à celui de Pépi II, de la VIe dynastie (vers 2250).

fragments de dépôts d'archives ont pu être mis à jour, tels ceux de Héka-nakhtè qui vécut à la fin de la XIe dynastie[1].

Nous sont également parvenues nombre de lettres royales ou privées qui nous permettent un coup d'oeil plus intime dans la vie quotidienne des individus, à tout le moins de ceux appartenant au monde des scribes et des lettrés.

Les textes littéraires et "scientifiques"

Ces derniers englobent une foule de catégories: romans et contes, textes sapientiaux, mythologiques ou philosophiques, poésie amoureuse et hymnes aux divinités, traités de médecine ou de mathématiques, livres de songes, sans oublier des textes sur l'histoire et la géographie. Compte tenu de la qualité des oeuvres que nous ont laissées les anciens lettrés égyptiens ainsi que de la valeur universelle des thèmes qu'elles renferment, nous n'hésiterons pas à parler ici d'une véritable *littérature*.

B) L'ASIE OCCIDENTALE ANCIENNE

Règle générale, l'origine de la documentation en Asie occidentale ancienne (surtout en Mésopotamie) est fort différente par rapport à ce qui prévaut dans la vallée du Nil. Alors que du côté de l'Égypte les tombes fournissent une grande quantité d'objets de tous genres, des scènes de la vie quotidienne, des inscriptions et des biographies en grand nombre, en Asie occidentale ancienne, la source principale de notre documentation provient des sites urbains. Sauf en de rares exceptions, comme c'est le cas pour le cimetière royal d'Ur

---

1. L'excellent roman d'Agatha Christie, intitulé *La mort n'est pas une fin*, s'inspire directement des informations trouvées dans ces textes.

(2900 - 2600 avant notre ère), ce sont les villes qui renferment l'essentiel des documents archéologiques qui servent à restituer le passé.

(1) LES DOCUMENTS NON-ÉCRITS

I. LES OBJETS USUELS ET VOTIFS

En comparaison avec la richesse des collections égyptiennes, cette catégorie de documents est peu illustrée de ce côté-ci du Proche-Orient. Dans les cimetières érigés soit à l'intérieur, soit à l'extérieur des murs de la ville, ou parfois, dans les tombes placées à l'intérieur des anciennes habitations, l'on trouve des objets courants: des vases, des ustensiles de métal, d'os ou de bois, des outils divers, des bijoux, des armes, des tablettes écrites, parfois des pièces de vêtement. Il s'agit d'objets qui devaient être nécessaires aux défunts lors de leur voyage aux Enfers.

Si, en Égypte, la vie dans l'au-delà est perçue comme une sorte de reproduction des conditions matérielles de la vie terrestre, il en va tout autrement en Mésopotamie. Lorsque le *souffle de la vie* a quitté le corps d'un individu, ce dernier est placé en terre afin que son *etemmu*[1] s'enfonce dans le monde souterrain; c'est de là qu'il part rejoindre le *Royaume d'En-Bas*. D'après les quelques allusions trouvées dans les textes, ce dernier n'avait d'ailleurs rien de très réjouissant: les Mésopotamiens l'imaginaient comme un royaume où régnaient les ténèbres, le silence, la poussière et les eaux boueuses. Menant une existence tout à l'opposé de celle des vivants, les *etemmu* étaient condamnés à une sorte d'éternité terne et triste. Pour leur venir en aide, il existait un rituel

---

1. Entité que l'on peut traduire par *spectre, fantôme, ombre ou âme.*

funéraire où les vivants se réunissaient pour un repas et des libations que l'on partageait avec les défunts.

La statuaire joue un rôle important dans le rituel des temples et les exemples de statues royales et divines sont assez nombreux pour apprécier les styles et les techniques. Cependant, il n'est pas question, comme en Égypte, d'une statuaire privée, servant au culte funéraire.

Un type d'objet est cependant bien représenté, au point où il constitue un élément matériel très représentatif de l'ensemble de l'Asie occidentale ancienne: il s'agit du sceau cylindrique qui servait à marquer les objets, ainsi que certains documents. Ils sont généralement faits de pierre et couverts de scènes mythiques.

La sculpture en relief existait en Asie occidentale ancienne. Son emploi était cependant limité à la décoration des portes et des murs des palais et des temples. Les sujets étaient par contre assez limités et se réduisent à des scènes de procession religieuse ou royale, de chasse ou de guerre. Ainsi, ne fournissent-elles que très peu d'informations sur la vie quotidienne des gens.

II. LES MONUMENTS

Pour assurer la construction des édifices, la plaine mésopotamienne est totalement dépourvue de pierre. Ainsi, dès leurs premières tentatives dans le secteur de l'architecture, les habitants de la région mirent au point un ensemble de techniques permettant l'utilisation du limon argileux, charrié par les crues annuelles des deux grands fleuves. La brique crue ou séchée par le feu est donc devenue le matériau par excellence pour toutes catégories de construction: palais, temple, muraille, maison.

Les toutes premières réalisations remontent au Ve millénaire, dans certaines agglomérations sumériennes, telles Éridu, Ur et Uruk, avec leurs temples grandioses et dominant toutes les autres constructions. À partir de 3500 environ, l'accumulation des biens d'échange permit l'importation de pierres à bâtir: on les utilisa surtout pour les fondations de temples et pour les montants de portes. Il faut cependant ajouter que les habitants des régions montagneuses de l'Asie occidentale ancienne avaient un accès beaucoup plus direct à la pierre, de sorte qu'elle s'imposa chez eux comme matériau de base. Les exemples tirés de Hattusas, capitale de l'Empire hittite, sont particulièrement éloquents sur l'habilité des constructeurs de l'époque à manier les pierres les plus imposantes et à ériger de gigantesques forteresses.

Quant aux villes elles-mêmes, un siècle et demi de fouilles archéologiques ont permis d'en mettre un très grand nombre à jour et cela, à travers l'Asie occidentale ancienne, de Mégiddo (en Palestine) jusqu'à Ur (à Sumer), en passant par les villes phéniciennes, Ébla (récemment découverte), Ashur et Mari (dont les archives ont été récupérées intactes).

(2) LES DOCUMENTS ÉCRITS

Tout comme pour l'Égypte des pharaons, les documents écrits représentent la partie la plus importante de nos informations, complétant celle que nous livre l'archéologie sur la vie matérielle des Anciens, sur certains aspects de leur génie technique et artistique, ainsi que sur les divers volets de leur vie intellectuelle.

I. LES INSCRIPTIONS

Comme c'est le cas dans la vallée du Nil, les supports utilisés pour les inscriptions sont extrêmement variés: morceaux de pierre, parois rocheuses, petites tablettes d'argile, objets votifs divers[1], des briques ou des clous décoratifs d'argile insérés dans les édifices[2], des sceaux cylindriques. Ces inscriptions nous sont très précieuses car il arrive souvent que le nom d'un roi ne nous soit connu que par elles. Elles fournissent donc d'importantes informations pour l'établissement de la chronologie. L'exemple qui suit est rédigé sur un vase: il s'agit d'une dédicace faite par le roi d'Uruk au dieu Enlil de la ville sainte de Nippur, vers 2500 avant notre ère:

> Enshakushanna dédia à Enlil les possessions de Kish contre qui il avait fait la guerre.

Cette autre a été inscrite sur une tablette appartenant au roi d'Ur, vers 2650:

> Éannépadda, le roi d'Ur, le fils de Mésannépadda, le roi d'Ur, construisit la maison de Ninhursag[3].

Certaines inscriptions sont moins avares de détails et nous fournissent alors des informations historiques plus explicites. L'exemple qui suit date du règne de Shalmanazar III, roi d'Assyrie (858 - 824); elle concerne une bataille que le roi livra en 853 sur l'Oronte, près de la ville de Qarqar, contre une coalition de princes syriens:

---

1. Surtout des vases et des statuettes.

2. Comme celles retrouvées dans les structures d'un temple, placées là à l'intention de la divinité.

3. Il s'agit d'un temple pour la déesse en question, épouse du dieu de la création Enki-Éa.

Je massacrai 14,000 de leurs soldats avec l'épée. Tout comme Adad[1], je fis pleuvoir la destruction sur eux. La plaine était trop petite pour que leurs corps tombent.

Ce second exemple est de Nabopolassar, roi de Babylone (626 - 605), rédigé à la suite de la chute de Ninive survenue en 611 et mettant un terme à deux siècles de domination assyrienne au Proche-Orient:

Je massacrai le pays de Subartu[2], je transformai ce pays hostile en monceaux (de cadavres et le laissai) en ruine. L'Assyrien qui, depuis un temps lointain, régnait sur tous les peuples et qui, avec son lourd joug, apportait la misère à la population du Pays, je fis quitter son pied d'Akkad et son joug je renversai.

II. LES TEXTES

Dans la plupart des cas, ces types de documents sont de même nature que dans la vallée du Nil. C'est la raison pour laquelle nous nous limiterons ici à souligner les éléments qui sont particuliers à notre région.

LES SUPPORTS DE L'ÉCRITURE

Le matériau qui s'avéra le plus courant en Mésopotamie fut sans contredit l'argile. Peu coûteux et présent partout, on en fabriqua des tablettes que la pointe en biseau des stylets pouvait facilement marquer afin de rendre les signes d'écriture, composés d'éléments en forme de clou[3]. Une fois cou-

---

1. Divinité associée aux éclairs et au tonnerre.

2. Il s'agit de l'Assyrie.

3. D'où son appellation d'écriture *cunéiforme*.

verte, la tablette était cuite et, selon les besoins, archivée ou envoyée à son destinataire.

LES CODES DE LOI

S'il est permis de croire qu'il existait des codes de loi écrits dans la vallée égyptienne, aucun papyrus ne nous est encore parvenu à ce jour. Par contre, en Mésopotamie et dans les régions limitrophes, nombre de ces codes ont pu être mis à jour. Le plus célèbre est celui d'Hammourapi de Babylone. Cependant, il est bon d'ajouter que ce dernier s'inscrit dans une tradition déjà fort ancienne à Sumer, où les rois avaient pris l'habitude de promulguer les us et coutumes juridiques de leur temps[1]. Les Hittites et les Assyriens en firent autant, nous laissant ainsi une somme intéressante d'informations sur la vie sociale et économique de leurs sociétés respectives. La Bible des Hébreux comprend également des documents du genre, compris dans le Pentateuch qui en constitue les cinq premiers livres.

LES DOCUMENTS D'ARCHIVES

En 1759 avant notre ère, Hammourapi de Babylone s'emparait de la ville de Mari, important centre urbain et commercial situé sur le Haut Euphrate. Peu de temps avant que les armées babyloniennes ne pénètrent à l'intérieur des murs, des hommes de Zimri-Lim, alors roi de la ville, s'apprêtaient à mettre en lieu sûr l'ensemble des documents d'archives du palais. Surpris par la rapidité de l'attaque, ils n'eurent pas le temps de réaliser leur projet et ils durent abandonner sur place leur précieuse cargaison. Par la suite, en réduisant la

---

1. Le plus ancien connu est celui d'Ur-Nammu d'Ur III (2113 -2096). Il n'est cependant pas exclu que les réformes d'Urukagina de Lagash (vers 2425) aient été accompagnées de la promulgation d'un Code de loi.

ville en ruines, Hammourapi "permettait" aux documents en question de demeurer intacts, pour le plus grand bonheur des futurs archéologues et spécialistes de la région. Les archives royales de Mari ont été découvertes en janvier 1932. Elles ne comptent pas moins de 25,000 tablettes, à quoi s'ajoutent les nombreux autres documents administratifs et commerciaux mis à jour depuis cette date.

D'autres fonds d'archives sont également disponibles, comme ceux de Hattusas, la capitale hittite, de Ninive, de Tello, d'Ugarit, d'Ébla, sans oublier l'importante bibliothèque d'Assurbanipal, roi d'Assyrie (668 - 627) qui se chiffre à plus de 900 tablettes.

De façon générale, les archives royales livrent un ensemble de textes des plus variés: lettres entre le roi et ses fonctionnaires; lettres entre le roi, son épouse et les princes étrangers; des contrats; des documents comptables; des édits royaux; des textes "scientifiques" et littéraires divers. Dans le cas de la blibliothèque d'Assurbanipal, un certain nombre de documents sont des textes et des inscriptions d'origine suméro-akkadienne, copiés par les scribes assyriens et ainsi sauvés de l'oubli.

C) LA BIBLE: ANALYSE D'UN DOCUMENT HISTORIQUE COMPLEXE.

(1) LA BIBLE ET SES LIVRES

Parmi les nombreuses sources écrites qui permettent à l'historien de travailler sur les origines des Hébreux, la création et l'histoire de l'État d'Israël (et de son peuple), il y évidemment la Bible. Cependant, trop longtemps marqués par le discours religieux judéo-chrétien qui faisait de ce document un

absolu de vérité (car soi-disant d'inspiration divine), les études et les débats historiques sur les Hébreux ont été les victimes de présupposés qu'il était difficile de remettre en question[1]. Par exemple: l'idée biblique de l'existence, dès les origines, d'un peuple homogène, les Hébreux, choisi par Yahvé;
celle de la Terre Promise, cette terre de Canaan, donnée aux
Hébreux par ce même Yahvé; la présence de toutes les tribus d'Israël en terre d'Égypte, travaillant comme esclaves
pour les pharaons; l'établissement en Canaan par la voie des
armes, tel l'épisode de Josué devant Jéricho; les origines des
tribus, remontant à Ur, en Chaldée; et bien d'autres.

Malgré ces limites, il importe de souligner que plusieurs cher-
cheurs, s'appuyant sur le corpus des sources écrites et
archéologiques du Proche-Orient, ont su développer un important courant historiographique, faisant contrepoids aux
"fondamentalistes" et permettant à la connaissance historique
de progresser.

C'est dans ce contexte, et suite à une série d'analyses plus
objectives sur les textes bibliques comme discours culturelle-
ment et historiquement déterminé, qu'il est possible d'identifier et de tirer de la Bible les divers types d'informations
historiques qui s'y trouvent ramassées par la tradition.

La Bible se compose de *Livres*, que l'on peut classer ainsi:
les *Livres historiques* (du genre chroniques ou annales, telles
que l'on en retrouve en Égypte, ou en Mésopotamie); les
Livres de sagesse, de chants ou d'hymnes (dans la bonne tradition proche-orientale, vieille de 3000 ans); les *Livres juridiques* (à l'image des codes mésopotamiens); les *Livres prophé-*

---

1. Les débats qui divisent les *créationistes* et les *évolutionistes* aux États-Unis peuvent servir d'exemples.

tiques (là aussi, mode d'expression typiquement proche-orien-tal[1]).

Nous parlons donc de *Livres*, au pluriel. Or, il est intéressant de noter que notre mot *Bible* vient du grec *Ta biblia*, ce qui se traduit par *Les livres*. Les Chrétiens de Rome ont emprun-té le mot tel quel, ce qui donna *Biblia*. Ainsi, ce que nous nommons *La Bible* est en fait une collection de livres diffé-rents, et dont le nombre, d'une tradition à l'autre, varie de façon significative. Par exemple, la Bible juive ne comporte que 39 livres, comparativement aux 46 que contient l'Ancien Testament des Catholiques. La différence vient du fait que les Juifs d'Alexandrie, installés en Égypte depuis le IVe siècle avant notre ère, avaient leur propre tradition: les 39 livres rédigés en hébreu et d'autres, leur appartenant en propres, rédigés en grec. Tous ces livres finirent par former la *Sep-tante*, tradition littéraire qui devint *Le Canon d'Alexandrie*, c'est-à-dire l'ensemble des textes choisis par l'Église catholi-que romaine (et plus tard orthodoxe) pour constituer l'An-cien Testament. Après une longue période de flottements (un jour les 39 livres, un autre les 46), c'est le Concile de Trente (1546) qui trancha la question, en faveur du Canon d'Alexandrie. Il faut ajouter ici, en passant, que les Chrétiens de Palestine penchaient lourdement pour la tradition des 39 libres hébraïques; d'où les multiples changements de position de l'Église officielle romaine jusqu'en 1546.

---

1. Soulignons, entre autres, *La prophétie de Néferti* qui annonce le règne d'Amé-nemhat, fondateur de la XIIe dynastie égyptienne: il s'agit d'un texte rédigé après la réalisation de son coup d'État contre le pharaon légitime, Mentouhotep IV, et annonçant, toujours après coup, l'arrivée d'un sauveur qui saurait rétablir la paix dans la vallée du Nil.

(2) LES LIVRES HISTORIQUES

En bref, ils s'agit des textes qui, selon la tradition hébraïque, "racontent" l'histoire du "peuple élu", depuis ses origines jusqu'à sa chute finale. Il est donc question de la période migratoire (les patriarches), de la présence en Égypte et de l'exode, de la conquête et de l'installation en Canaan, de la création de l'État d'Israël, ainsi que de son histoire tumultueuse (scission, invasion et présence assyrienne, babylonienne et perse). Globalement parlant, ces textes historiques[1] couvrent une période allant de 1400/1300 environ, jusqu'au VIe siècle avant notre ère.

Sans entrer dans les débats qui ont toujours cours sur les différences existant entre les diverses traditions, voici une courte présentation des divers livres historiques, ainsi que leur relation avec l'histoire des Hébreux: la *Genèse*, chapitres 17 et suivants (la période du nomadisme, marquée par les patriarches dont Abraham, et par l'aventure de Joseph en Égypte); l'*Exode* et le *Deutéronome*, chapitres 1 à 11 (la sortie d'Égypte avec Moïse et la pérégrination dans les déserts); *Josué* (la conquête militaire de la Palestine); les *Juges* (la période de la sédentarisation et les difficultés des tribus face, entre autres, aux Philistins); *Ruth* (un petit livre plein de poésie et de charme sur la vie bucolique et religieuse des Hébreux à l'époque des Juges)[2]; *1 Samuel* et *2 Samuel* (deux livres concernant la création de la monarchie et de l'État avec Saül, le premier roi d'Israël [1020 - 1000], et David [1000 - 960], son successeur immédiat); *1 Roi* et *2 Roi* (couvrant la période allant de Salomon [960-930] à la chute de Jérusalem aux mains des Babyloniens [587]); *1 Chroniques*

---

1. Par opposition aux textes légaux, religieux, littéraires ou autres.

2. Ce livre est l'un des deux qui portent un nom de femme, l'autre étant celui d'*Esther*.

et *2 Chroniques* (du roi Saül à la chute de Jérusalem, avec une vision plus religieuse de l'histoire que les deux livres précédents); *Esdras* et *Néhémie* (le retour d'une partie des Juifs de leur captivité à Babylone [539] et la restauration de la vie religieuse des Juifs en Palestine, alors sous contrôle perse); *Esther* (une sorte de roman historique de "la belle et courageuse" Esther à l'époque perse, plus précisément, entre 516 et 458: c'est un récit à replacer chronologiquement entre les chapitres 6 et 7 d'*Esdras*)[1].

Que penser de la valeur historique de ces livres? Comme toute littérature qui se fonde sur la tradition orale, il ne faut pas s'attendre à ce que les récits bibliques possèdent la rigueur historique que l'on exige de nos jours. Nombre de ces livres comportent des récits narratifs parallèles, originant la plupart du temps d'une même source orale. Cet état de chose est compréhensible si l'on tient compte du fait que les livres de la Bible ont été rédigés quelque part au VIe siècle avant notre ère, les auteurs compilant alors les diverses traditions existantes. Il est donc normal que, dans les siècles qui ont précédé ce travail, les récits appartenant à telle ou telle tradition orale se soient "multipliés" (avec, évidemment, des différences, d'une version à l'autre), avant d'être ultimement colligés et placés ensembles, dans un même recueil.

À un autre niveau, l'analyse linguistique des textes permet de distinguer, parmi les contradictions qu'ils comportent, ce qui relève de la tradition historique de ce qui se rattache aux textes littéraires et plus fantaisistes, écrits après coup sur cette même tradition. À titre d'exemple, l'on peut s'attarder sur la question des "Juges". Historiquement, la période des Juges se situe entre 1200 et 1020. Or, la tradition biblique

---

1. Ce livre raconte l'histoire de ceux des Juifs amenés de force à Babylone qui ne sont pas revenus en Palestine en 539. L'action se déroule à Suse, la capitale perse.

nous les présente comme ayant gouverné sur l'ensemble des tribus d'Israël, à la manière de rois, mais sans en posséder le titre. Une étude attentive du *livre des Juges* montre, au contraire, que ces derniers furent des chefs politiques et/ou militaires temporaires, n'exerçant leur autorité que sur leur propre tribu (et peut-être, à l'occasion, sur quelques tribus voisines). Il est même certain que plusieurs d'entre eux furent des contemporains. Ainsi, l'idée des rédacteurs du VIe siècle étant de démontrer la légitimité de l'État d'Israël et de son peuple[1], il fallait "réécrire" l'histoire selon une vision unificatrice de la destinée des Juifs et ainsi, peut-être, retrouver un certain espoir: celui de la renaissance, après un retour d'exil, sur la base des promesses faites par Yahvé à Josué[2].

La compilation des textes au VIe siècle avant notre ère ainsi que le choix des traditions, sans oublier les ajouts, permirent à leurs auteurs/rédacteurs d'élaborer une thèse générale de l'histoire des Hébreux, ayant comme trame de fond, les liens privilégiés d'un peuple (donné à l'origine) et de son dieu (lui aussi donné à l'origine): c'est le grand thème de l'*Alliance*, scellée dès les origines par Abraham. Dans cette reconstruction, Yahvé choisit d'abord son peuple; ensuite, il le guide dans le désert, de Ur en Chaldée jusqu'en Canaan; il le conduit (toujours en tant que peuple) en Égypte; il le libère (encore comme peuple), puis le mène en Canaan; c'est à titre de chef du peuple élu que Josué s'empare ensuite de la région; et c'est encore et toujours ce peuple que les Juges gouvernent et pour lequel ils guerroient. La structure des récits est donc logique et, qui plus est, elle remplit parfaite-

---

1. N'oublions pas la conquête babylonienne et la chute de l'État d'Israël.

2. JOSUÉ 1, 2-3, où Yahvé dit ceci à Josué: "Moïse, mon serviteur, est mort; maintenant, debout! Passe le Jourdain que voici, toi et *tout ce peuple*, vers le pays *que je leur donne*. Tout lieu que foulera la plante de vos pieds, *je vous le donne*, comme je l'ai dit à Moïse". (Les italiques sont du présent auteur).

ment bien sa fonction idéologique de corpus de référence; par son discours politico-religieux, ce corpus sert à maintenir la cohésion de tous les Juifs d'Israël et ceux de la diaspora, commencée bien avant la destruction du temple de Jérusalem en 70 de notre ère, par Titus et l'armée romaine d'occupation.

Du point de vue de l'historien, la prudence s'impose donc dans l'utilisation des livres de la Bible, comme c'est d'ailleurs le cas pour toute autre source littéraire.

GUIDE DE LECTURE

Jean, Georges
L'ÉCRITURE, MÉMOIRE DES HOMMES.
Découvertes Gallimard, Archéologie No. 24, Gallimard, Paris
1987.

Février, James G.
HISTOIRE DE L'ÉCRITURE. Payot, Paris 1984.

Frankfort, Henri
THE ART AND ARCHITECTURE OF THE ANCIENT
ORIENT. Penguin Books, Harmondsworth, England 1979

Garelli, Paul
L'ASSYRIOLOGIE. Que Sais-je No. 1144, PUF, Paris 1964.

Kees, Hermann
ANCIENT EGYPT, A CULTURAL TOPOGRAPHY.
The University of Chicago Press, Chicago 1977.

Lloyd, Seton
THE ARCHAEOLOGY OF MESOPOTAMIA. FROM THE
OLD STONE AGE TO THE PERSIAN CONQUEST.
Thames and Hudson, Londres 1978.

Parrot, André
MARI, CAPITALE FABULEUSE. Payot, Paris 1974.

Sauneron, Serge
L'ÉGYPTOLOGIE. Que Sais-je No. 1312, PUF, Paris 1968.

Smith, Stevenson S.
THE ART AND ARCHITECTURE OF ANCIENT EGYPT.
Penguin Books, Harmondsworth, England, 1965.

Vercoutter, Jean
À LA RECHERCHE DE L'ÉGYPTE OUBLIÉE.
Découvertes Gallimard, Archéologie No. 1, Gallimard, Paris
1986.

LES SOCIÉTÉS
DU PROCHE - ORIENT II
HISTOIRE ET POLITIQUE

1. LES GRANDES ÉTAPES CHRONOLOGIQUES DE L'HISTOIRE DU PROCHE-ORIENT

Résumer, en quelques pages, les longs millénaires de l'histoire des sociétés du Proche-Orient ancien serait faire preuve d'une grande témérité: pour utiliser un exemple plus près de nous, cela équivaudrait à synthétiser notre propre histoire nationale en un seul paragraphe. L'exercice est donc à la fois inutile et dangereux sur le plan de la discipline historique. Notre propos n'étant cependant pas de suivre en détail la marche de nos civilisations à travers les méandres de l'Histoire, nous allons plutôt nous familiariser avec leurs grandes étapes chronologiques. Afin de faciliter la démarche du lecteur, des tableaux synthèses synchroniques accompagnent le présent texte: ils sont subdivisés en trois parties, selon les divisions géo-politiques suivantes: l'Égypte, le Couloir syro-palestinien et la Mésopotamie.

Une remarque préalable s'impose: il n'est pas toujours possible de procéder à un découpage chronologique qui soit à la fois net et logique, valable en même temps pour les trois sous-régions du Proche-Orient. De plus, dans la réalité, certaines étapes se caractérisent davantage par des continuités que par des brisures. C'est pourquoi, à l'occasion, certaines de nos étapes se chevauchent, sans coupures très précises. Elles ne seront maintenues, dans ce cas, que pour fin de cohérence.

TABLEAU 3 (Tableau chronologique I)

Xe - VIe mill. : Révolution néolithique dans l'ensemble du Proche-Orient

ÉGYPTE	SYRIE - PALESTINE	MÉSOPOTAMIE
CULTURES Badarien Amratien Gerzéen	**NOMBREUX SITES** • SYRIE : Alep, Arpad, Ugarit, la plaine d'Amuq, ... • PALESTINE : Byblos, Jéricho, Mégiddo, ...	**CULTURES** • AU NORD : Hassuna, Samarra, Halaf, ... • AU SUD : Ubaid, Uruk, ...
UNIFICATION CULTURELLE ET POLITIQUE 3100 - 2800 : Dynasties I - II (période thinite) 2800 - 2200 : Dyn. III - VI (Ancien Empire) • expéditions aux mines du SINAÏ • contacts suivis avec région de • raids égyptiens au Négev	**DÉBUT DU BRONZE ANCIEN (3000 - 1900)** AU IIIe MILLÉNAIRE ... Deux régions distinctes (sur les plans ethnique, culturel et politique) Nombreux royaumes (modèle de l'État-Cité) • SYRIE : = populations en majorité non-sémites = influences de la Mésopotamie (Akkad) • PALESTINE (depuis la région de Byblos) = populations sémites = Byblos: commerce étroit avec l'Égypte = Palestine: peu de contacts avec l'Égypte	**DÉVELOPPEMENT DE L'ÉTAT - CITÉ** 3300 - 3200 : Djemdet Nasr (développement de l'écriture) 3200 - 2800 : vers monarchie primitive 2800 - 2371 : SUMER (période dynastique) 2371 - 2200 : Dynastie d'AKKAD (avec Empire mésopotamien et pointes en Syrie: monts Amanus, montagnes du Liban)
	Brisure au Proche-Orient : fin du Bronze Ancien et mouvements de populations	
2200 - 2040 : Dyn. VIII - XI (1ère Période Intermédiaire) • Invasion du Delta par Sémites = 2160 : IXe (Hérakléopolis) = 2133 : Xe (Hérakléopolis) = 2133 : XIe (Thèbes) 2040 : Réunification du Pays	Invasions des Cananéens en Palestine	2200 - 2120 : Dynastie Gouti (montagnards du Zagros) 2113 - 2006 : Ur III (Renaissance sumérienne) 2006 - 1763 : Période Isin-Larsa (mouvements des tribus amorites et installation en Mésopotamie)

TABLEAU 4 (Tableau chronologique II)

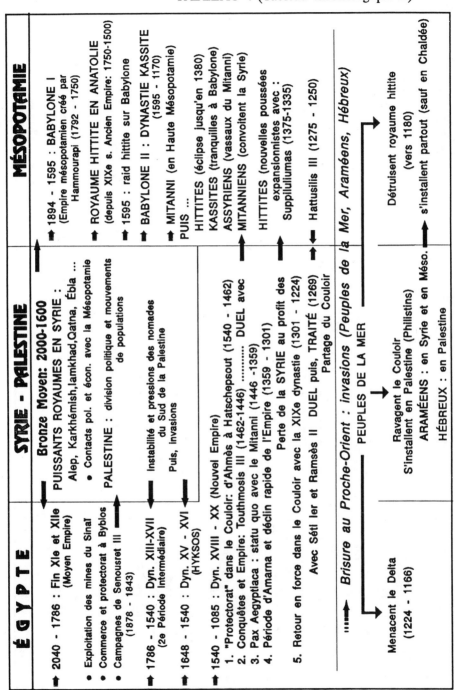

ÉGYPTE	SYRIE - PALESTINE	MÉSOPOTAMIE
➤ 2040 - 1786 : Fin XIe et XIIe (Moyen Empire)	**Bronze Moyen: 2000-1600** PUISSANTS ROYAUMES EN SYRIE : Alep, Karkhémish, Iamkhad, Qatna, Ébla ...	➤ 1894 - 1595 : BABYLONE I (Empire mésopotamien créé par Hammourapi (1792 - 1750)
• Exploitation des mines du Sinaï • Commerce et protectorat à Byblos • Campagnes de Senousret III (1878 - 1843)	• Contacts pol. et écon. avec la Mésopotamie PALESTINE : division politique et mouvements de populations	➤ ROYAUME HITTITE EN ANATOLIE (depuis XIXe s. Ancien Empire: 1750-1500) ➤ 1595 : raid hittite sur Babylone
➤ 1786 - 1540 : Dyn. XIII-XVII (2e Période Intermédiaire)	Instabilité et pressions des nomades du Sud de la Palestine	➤ BABYLONE II : DYNASTIE KASSITE (1595 - 1170) ➤ MITANNI (en Haute Mésopotamie) PUIS ...
➤ 1648 - 1540 : Dyn. XV - XVI (HYKSOS)	Puis, invasions	HITTITES (éclipse jusqu'en 1380) KASSITES (tranquilles à Babylone) ASSYRIENS (vassaux du Mitanni)
➤ 1540 - 1085 : Dyn. XVIII - XX (Nouvel Empire) 1. "Protectorat" dans le Couloir: d'Ahmès à Hatschepsout (1540 - 1462) 2. Conquêtes et Empire: Touthmosis III (1462-1446) .... DUEL avec 3. Pax Aegyptiaca : statu quo avec le Mitanni (1446 -1359) 4. Période d'Amarna et déclin rapide de l'Empire (1359 - 1301)		MITANNIENS (convoitent la Syrie) HITTITES (nouvelles poussées expansionnistes avec : Suppliluliumas (1375-1335)
5. Retour en force dans le Couloir avec la XIXe dynastie (1301 - 1224) Avec Séti Ier et Ramsès II DUEL puis, TRAITÉ (1269)	Perte de la SYRIE au profit des Partage du Couloir	➤ Hattusilis III (1275 - 1250)

➤ Brisure au Proche-Orient : invasions (Peuples de la Mer, Araméens, Hébreux)

	PEUPLES DE LA MER	
	Ravagent le Couloir S'installent en Palestine (Philistins)	Détruisent royaume hittite (vers 1180)
Menacent le Delta (1224 - 1166)	ARAMÉENS : en Syrie et en Méso. ➤ s'installent partout (sauf en Chaldée) HÉBREUX : en Palestine	

187

TABLEAU 5 (Tableau chronologique III)

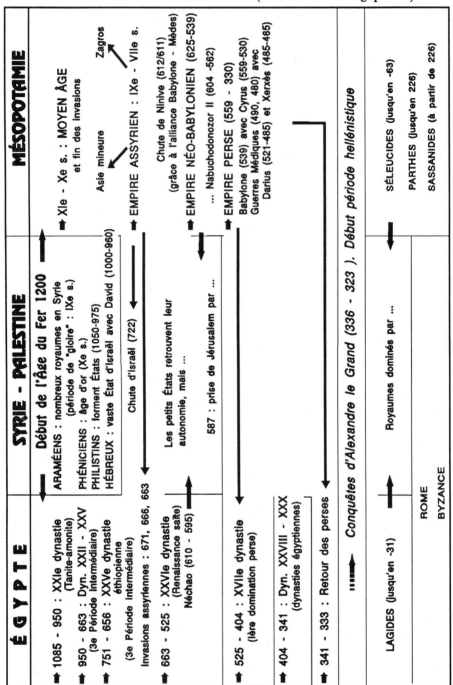

ÉGYPTE

- 1085 - 950 : XXIe dynastie (Tanite-amonite)
- 950 - 663 : Dyn. XXII - XXV (3e Période Intermédiaire)
- 751 - 656 : XXVe dynastie éthiopienne
- (3e Période Intermédiaire) Invasions assyriennes : 671, 666, 663
- 663 - 525 : XXVIe dynastie (Renaissance saïte) Néchao (610 - 595)
- 525 - 404 : XVIIe dynastie (1ère domination perse)
- 404 - 341 : Dyn. XXVIII - XXX (dynasties égyptiennes)
- 341 - 333 : Retour des perses

LAGIDES (jusqu'en -31)

ROME
BYZANCE

SYRIE - PALESTINE

Début de l'Âge du Fer 1200

ARAMÉENS : nombreux royaumes en Syrie (période de "gloire" : IXe s.)
PHÉNICIENS : âge d'or (Xe s.)
PHILISTINS : forment États (1050-975)
HÉBREUX : vaste État d'Israël avec David (1000-960)

Chute d'Israël (722)

Les petits États retrouvent leur autonomie, mais ...

587 : prise de Jérusalem par ...

Conquêtes d'Alexandre le Grand (336 - 323). Début période hellénistique

Royaumes dominés par ...

MÉSOPOTAMIE

XIe - Xe s. : MOYEN ÂGE et fin des invasions

Asie mineure   Zagros

EMPIRE ASSYRIEN : IXe - VIIe s.

Chute de Ninive (612/611) (grâce à l'alliance Babylone - Mèdes)

EMPIRE NÉO-BABYLONIEN (625-539)

... Nabuchodonozor II (604 -562)

EMPIRE PERSE (559 - 330)
Babylone (539) avec Cyrus (559-530)
Guerres Médiques (490, 480) avec
Darius (521-485) et Xerxès (485-465)

SÉLEUCIDES (jusqu'en -63)
PARTHES (jusqu'en 226)
SASSANIDES (à partir de 226)

ÉTAPE 1: LE NÉOLITHIQUE (Xe - IVe millénaires)

Nous ne revenons sur l'étape du Néolithique, abordée en détail au chapitre 4, que pour assurer notre point de départ chronologique. Au *Tableau chronologique I*, nous avons indiqué, pour chacune des trois régions, le nom des cultures significatives qui caractérisent l'évolution des sociétés de cette période. Le fait principal à rappeler est sans contredit l'apparition des sociétés agricoles, avec le développement des communautés villageoises. À long terme, dans le courant du IVe millénaire, des changements profonds affectent nombre de ces communautés qui tendent alors à la formation de plus grands ensembles économiques et politiques.

ÉTAPE 2: LE DÉVELOPPEMENT DES ÉTATS (fin du IVe millénaire)

À partir de 3500 environ, le processus historique s'accélère. Dans la vallée du Nil, les éléments culturels s'uniformisent graduellement et, sur le plan local, des pouvoirs politiques émergent. Le point d'arrivée du processus est l'unification politique de la vallée et la création de la Ie dynastie pharaonique (vers 3100).

Dans le reste du Proche-Orient, principalement dans la zone dite du *Croissant fertile*, le modèle des petites unités politiques semblent s'imposer, reposant sur la transformation de certaines communautés villageoises en de véritables centres urbains. Un peu partout, l'État-Cité émerge.

ÉTAPE 3: LE IIIe MILLÉNAIRE

En Égypte, après une période de mise en forme politique, administrative et idéologique (dynastie I à III), le système pharaonique atteint rapidement son efficacité[1]. Les grandes pyramides de la IVe dynastie témoignent des capacités de l'État à contrôler les richesses du pays et à initier une foule d'activités dans tous les domaines. C'est d'ailleurs durant l'Ancien Empire que se développe le cadre idéologique du roi-dieu, le pharaon incarnant dès lors, en tant qu'Horus et fils du dieu solaire Rê, l'ensemble des forces de la Nature.

Du côté mésopotamien, la même vigueur créatrice se retrouve. Les grands travaux publics, telle la construction de murailles autour des cités importantes ou encore celle d'édifices religieux comme les immenses ziggurats à étages, attestent des capacités des monarchies locales à centraliser, elles aussi, la richesse produite ainsi que la main-d'oeuvre. Sur le plan politique, nous voyons apparaître ce qui deviendra une constante de l'histoire mésopotamienne à travers les millénaires: les aspirations d'un roi local à instaurer son *hégémonie* sur les autres États. Ainsi, pour de courtes périodes, et à tour de rôle, les Cités de Kish, d'Ur, de Lagash, d'Uruk, d'Aggadé[2] et à nouveau d'Ur[3], domineront la plaine sumérienne et parfois, au-delà, vers la Haute Mésopotamie.

Quant au Couloir syro-palestinien, le IIIe millénaire montre avec évidence le rôle historique qu'il joue déjà dans la ré-

---

1. Le processus ne se fait pas sans heurts; il semble que, sous la IIe dynastie, une certaine contestation se soit manifestée dans le Delta contre la centralisation du pouvoir entre les mains des anciens conquérants *sudistes*.

2. La capitale d'Akkad.

3. Correspondant à la période d'Ur III, époque de la renaissance sumérienne (2113-2006).

gion: celui de plaque tournante entre la Méditerranée orientale, la vallée du Nil et le reste de l'Asie occidentale. À l'époque, deux zones d'influence distinctes semblent se dessiner: au Nord, on note une présence mésopotamienne certaine, du moins sous certains règnes suméro-akkadiens, comme celui de Sargon d'Akkad[1]; au Sud, l'Égypte entretient des relations commerciales assez suivies avec la ville de Byblos et cela, dès la première dynastie.

ÉTAPE 4: UNE PREMIÈRE BRISURE (2200 - 1900)

La dernière partie du Bronze ancien se caractérise par de profonds bouleversements. Dans la vallée du Nil, l'État et la société pharaoniques traversent une période pour le moins difficile, malgré les réactions et les tentatives de réformes de certains pharaons. Dans le courant des Ve et VIe dynasties (2565 - 2200), les structures de l'État s'affaiblissent au profit de certaines grandes familles de fonctionnaires; parallèlement, le volume des crues annuelles du fleuve semble moins important, ce qui dût entraîner une diminution non négligeable de la production agricole. Ces facteurs combinés contribuent à faire éclater le système pharaonique, à l'avantage de certains gouverneurs locaux. Ces derniers se transforment en de véritables petits dynastes, alors que des groupes nomades profitent de l'absence de l'État centralisé et pénètrent dans le Delta. Lorsque disparaît le dernier pharaon de la VIIIe dynastie, vers 2160, le dynaste d'Héracléopolis s'empare de la titulature royale et se déclare *Roi de Haute et de Basse Égypte*. En 2133, c'est au tour du nomarque[2] de Thèbes d'en

---

1. Les documents racontent l'envoi d'expéditions vers le Nord-Ouest d'Akkad, *aussi loin que la Montagne de Cèdre et la Montagne d'Argent*. Il s'agit probablement d'expéditions à caractère économique puisque dans le premier cas, c'est le bois du Liban qui est impliqué alors que dans le second, l'inscription fait référence aux mines d'argent dont sont riches les monts Amanus, situés au Nord de la Syrie.

2. Titre donné au gouverneur d'un *nome*.

faire autant. Alors que le premier étend son contrôle vers le Delta et en chasse les nomades qui s'y étaient installés, le second consolide ses positions au Sud de la vallée. Puis, une série de conflits opposent les deux prétendants jusqu'au jour où, en 2040, l'Égypte se retrouve à nouveau politiquement unifiée, sous la gouverne du roi thébain.

Du côté de l'Asie occidentale ancienne, la période est surtout marquée par de grands mouvements de populations sémitiques. Dans le Couloir, les Cananéens s'infiltrent graduellement et finissent par occuper la majeure partie du territoire, non sans avoir détruit nombre des anciens centres urbains. Adoptant en adaptant les éléments matériels et culturels des sédentaires, les Cananéens reprennent en main le "flambeau de la civilisation"; après une période de transition, ils relancent la région dans une nouvelle ère de prospérité.

En Mésopotamie, une dernière phase proprement sumérienne clôt le IIIe millénaire, avec l'Empire d'Ur III, avant de succomber aux pénétrations parfois brutales des Amorites (surtout à partir du XXe siècle). On assiste alors au retour à la fragmentation politique, centrée sur les petits États-Cités locaux.

ÉTAPE 5: LA RELANCE (1900 - 1500)

Avec la XIIe dynastie (1991 - 1786), le Moyen Empire égyptien marque la restauration de l'État pharaonique. De grands travaux d'irrigation sont alors entrepris au pays[1] alors qu'en politique extérieure, l'agressivité des Égyptiens est particulièrement visible du côté de la Nubie. Puis, malgré les réformes entreprises afin de protéger la monarchie des ambitions des administrateurs locaux, le pays s'engage dans une nouvelle

---

1. Dans le Delta et au Fayoum.

période d'affaiblissement politique et économique (1786 - 1540). L'Égypte est en outre soumise à une *humiliante* occupation étrangère, celle des Hyksôs[1] qui gouverneront la vallée à partir de leur base située dans le Delta (1648 -1540). Ce sont les rois Thébains qui vont, pour une troisième fois, refaire l'unité du pays, en se lançant dans une série de campagnes contre les Étrangers, et en les pourchassant jusque dans le Sud de la Palestine. Ahmosis Ier sortira grand vainqueur de l'opération et deviendra ainsi le fondateur de la XVIIIe dynastie (1540).

En Mésopotamie, les mouvements d'invasion se calment et, graduellement, sous la gouverne des nouveaux monarques amorites, une certaine centralisation s'opère au profit de certains États. À la fin du XIXe siècle, cinq entités politiques se partagent la vallée: Larsa qui, avec le roi Rim-Sin (1822-1763) réussit à unifier le territoire sumérien en éliminant sa principale rivale, la cité d'Isin; Babylone où, depuis 1894, règne une dynastie amorite de laquelle est issu Hammourapi et dont les premiers rois s'occupèrent à consolider les bases économiques (construction de canaux), politico-militaires (ouvrages défensifs pour assurer la protection de la ville) et religieuses (édification de temples); Mari, qui devint un centre important de transit commercial sur l'Euphrate; Eshnunna[2], qui retrouva une certaine puissance à partir de 1850 environ, avec une extension de ses frontières jusqu'en Élam et vers le Tigre; enfin Ashur qui, sur la base d'un empire commercial s'étendant jusqu'en Anatolie, tenta d'établir son hégémonie sur la Haute Mésopotamie, surtout à l'époque de Shashi-Adad (1814 - 1782), l'un des ses monarques les plus prestigieux. Mais bientôt, s'amorce une restructuration com-

---

1. Les Égyptiens garderont un souvenir particulièrement amer de cette présence étrangère.

2. Située sur la Diyala.

plète de la vie politique et économique de la vallée. À Partir de 1763, la politique d'Hammourapi amène Babylone à s'emparer du territoire de ses voisins: l'un après l'autre, les États mésopotamiens tombent, favorisant ainsi la création du premier empire babylonien (1763 - 1595).

Avec la stabilisation des Cananéens, un certain nombre d'États plus ou moins puissants se partagent la Syrie et entretiennent des relations politiques et commerciales étroites avec ceux de la Mésopotamie. Au Sud, en Palestine, la situation paraît différente, caractérisée par l'instabilité des populations, considérées à l'époque du Moyen Empire d'Égypte comme une menace constante pour ce dernier pays.

ÉTAPE 6: LA *PAX AEGYPTIACA* (1540 - 1200)

Le *Tableau chronologique II* fournit le détail des phases de cette période, dominée par l'hégémonie qu'exerce directement l'Égypte dans la région de la Nubie et du Koush, ainsi que dans le Couloir syro-palestinien. Cependant, il est important de souligner que cette domination égyptienne en Syrie-Palestine ne fut pas sans contestation.

D'autres grands États de l'Asie occidentale ancienne considéraient le contrôle des routes commerciales comme essentiel à leur propre économie. Ainsi, l'État du Mitanni, installé en Haute Mésopotamie, se trouva maintes fois en conflits armés avec l'Égypte dans le courant du XVe siècle[1].

---

1. Nous ignorons le moment précis où les Mitanniens, tribus guerrières d'origine indo-européenne, firent irruption en Haute Mésopotamie. Nous savons cependant qu'aux XVIe - XVe siècles, ils s'étaient imposés comme classe dominante sur les populations autochtones hourrites qui avaient créé un certain nombre d'États, de la région orientale de la Syrie jusque dans la partie du Haut Tigre. À partir de 1600, ces Mitanniens constituèrent un royaume que les Assyriens nommaient *Hanigalbat* et qui réussit, pendant un temps, à tenir en échec et même à menacer sérieusement ses puissants voisins, les Assyriens, les Hittites et les Égyptiens.

Carte 8 : Les Grands Empires au XIVe siècle

Une fois ce dernier neutralisé, les pharaons eurent à composer avec un autre puissant voisin, cette fois plus coriace: les Hittites. Ces derniers étaient arrivés en Asie Mineure vers 2000 - 1900 et, à partir du XVIIIe siècle, avaient fini par bâtir un important royaume dans toute la région[1]. En 1595, les armées hittites avaient même procédé à un raid sur Babylone qu'elles avaient alors complètement pillée. C'est d'ailleurs à la suite de cette opération que les Kassites, populations habitant le Zagros, achevèrent de s'emparer de l'en-

---

1. Royaume centré en Anatolie, au cœur de l'Asie Mineure, avec des pointes expansionnistes vers la région du Haut Euphrate et vers la Syrie du Nord.

semble de la Babylonie. Ils y fondèrent une nouvelle dynastie qui perdura jusqu'en 1170.

Après une période de troubles politiques intérieurs, les Hittites revinrent en force (1380) et se lancèrent dans une nouvelle phase d'expansion vers la Haute Mésopotamie ainsi que vers la Syrie. Profitant de la période égyptienne d'Amarna où Akhénaton était aux prises avec le puissant clergé d'Amon, les Hittites grugèrent allègrement les positions égyptiennes dans la partie Nord du Couloir. Le duel égypto-hittite se poursuivit encore quelques décennies, sans grands résultats probants ni pour l'un ni pour l'autre des belligérants. C'est ainsi qu'en 1269, suite également aux menaces que commençait à exercer l'Assyrie renaissante (après avoir été vassale des Mitanniens), Ramsès II et Hattusilis III signèrent un traité de non-agression et de défense mutuelle qui apporta la paix au Proche-Orient pour tout le reste du XIIIe siècle.

ÉTAPE 7: NOUVELLE BRISURE ET *MOYEN-ÂGE* AU PROCHE-ORIENT (1200 - 900)

Cette fois, c'est l'ensemble des États du Proche-Orient qui est touché par la catastrophe. Deux grands mouvements d'invasion vont, à partir de 1200 environ, se combiner et contribuer, soit à faire disparaître certains d'entre eux (comme l'Empire hittite), soit les forcer à défendre avec âpreté les derniers bastions de leur territoire (comme ce fut le cas des Assyriens)[1]. D'autres, comme l'Égypte, perdent leurs anciennes possessions et doivent repousser l'envahisseur hors de leurs frontières[2]. Les spécialistes qualifient cette période de

---

1. Repliés sur leurs villes fortifiées.

2. Ramsès III (1198 - 1166) est passé à l'histoire pour ses victoires contre les assauts répétés de ces tentatives extérieures.

trois siècles qui s'étend jusqu'aux alentours de 900, de *Moyen-Âge proche-oriental.*

Cette image d'une période charnière entre "deux âges" est assez juste dans la mesure où, durant près de 300 ans, les grands États se replient systématiquement sur eux-mêmes, essayant tant bien que mal de survivre à la tourmente. Cette dernière se compose de deux ensembles de mouvements de populations qui cherchent désespérément à occuper le territoire des sédentaires: d'une part, à l'intérieur même de l'Asie occidentale ancienne, il y a les Hébreux et les Araméens. Les premiers s'installeront en Palestine où ils finiront par créer l'État d'Israël (960). Les seconds se répandent en Syrie et dans l'ensemble de la Mésopotamie. Le sommet de la puissance araméenne aura la ville de Damas comme centre et se produira au IXe siècle avant notre ère. Elle s'appuiera surtout sur le monopole exercé par les Araméens dans le commerce reliant la Syrie et la Mésopotamie. Ce transit commercial sera particulièrement efficace et lucratif suite à l'introduction par les Araméens du chameau comme animal de trait[1].

Le second mouvement d'invasion, qui se conjugue au premier, est d'origine Est-méditerranéenne: il implique les fameux *Peuples de la Mer.* Ces derniers arrivent par bateaux entiers, longeant les côtes depuis celles de l'Asie Mineure et cherchant une terre d'accueil.

LES PEUPLES DE LA MER

Compte tenu de l'envergure et de la nature de cette migration des Peuples de la Mer, il est nécessaire que nous nous attardions quelque peu sur l'ensemble des événements qui les

---

1. En remplacement de l'âne utilisé jusqu'alors.

concernent. Pour comprendre la situation, il faut jeter un coup d'oeil au loin, à la jonction de l'Europe et de l'Asie occidentale ancienne. Vers 1250, sur la pointe Nord-Ouest de l'Asie Mineure, un événement lourd de conséquences et chargé de signification se déroule: la chute de l'illustre ville de Troie! Même si l'on peut considérer la chute de Troie comme un fait spécifique de l'histoire du monde grec, il n'en demeure pas moins vrai qu'elle marque le début d'une série de bouleversements qui ont radicalement transformé la face ethnique et politique de tout le Proche-Orient. En effet, il est de plus en plus clair aujourd'hui que la prise et la destruction de Troie soient le fait des Mycéniens, ces fameux Achéens des récits d'Homère[1]. Au XIIIe siècle, des bandes d'Achéens, en provenance de la Grèce continentale, poussent des raids vers les Détroits et s'installent même en certains points de la côte de l'Asie Mineure.

En soi, cette situation n'a rien de très particulier. Au cours de l'histoire, les villes tombent et renaissent sans cesse. Par contre, la chute de Troie marque le début d'une époque de migrations qui vont bientôt s'étendre à l'ensemble du bassin Est-méditerranéen. Des groupes de tribus venus d'Europe, plus particulièrement de la Thrace[2], profitent des répercussions occasionnées par la chute de Troie; ils se mettent ainsi en mouvement, par terre et par mer, le long des côtes de l'Asie Mineure. Ces tribus menacent non seulement l'Empire mycénien lui-même, donc la Grèce continentale, mais également toutes les populations sédentaires installées sur les côtes de la Mer Égée et dans l'arrière-pays. Les documents hittites et mycéniens parlent de l'insécurité qui règne alors,

---

1. Dans un ouvrage intitulé *L'Iliade*.

2. La Bulgarie et la Roumanie actuelles.

des villes qui tombent sous les coups des nouveaux arrivants[1], et des pressions qu'ils exercent de plus en plus vers le Sud, sur la Méditerranée orientale.

Les populations touchées se désintègrent et, souvent, se mêlent aux mouvements migratoires qu'elles contribuent à gonfler. Les documents égyptiens montrent qu'il n'est pas exclu que des chefs achéens s'y soient intégrés, avec leurs navires et leurs clans, partant à l'aventure, à la recherche de nouvelles terres à occuper! En effet, les scènes et les reliefs peints du temple funéraire de Ramsès III à Médinet Habou, situé sur la rive occidentale de Thèbes, comprennent des illustrations montrant la grande variété des groupes de population impliqués dans la tentative d'invasion de l'Égypte en 1190: il y a des nouveaux venus, tels les *Sardanes*, les *Séhekel*, les *Dényens*, les *Péleset*; d'autres sont déjà connus, tels des Égéens et des Anatoliens d'Asie Mineure. Pour les Égyptiens, ces bandes d'envahisseurs sont appelées du terme générique de *Peuples de la mer*, exprimant par là l'origine immédiate de ces navigateurs fortement armés qui tentent, au début du XIIe siècle, de forcer l'ouverture du Delta pour s'y installer.

Quoi qu'il en soit, les villes côtières du Couloir subissent durement les contrecoups de ces migrations: certaines villes sont abandonnées par leurs habitants, d'autres sont détruites[2]. Au sud, sur la côte qui s'étire de la péninsule du Carmel jusqu'à Gaza, des *Péleset* débarquent avec leurs femmes et leurs enfants, transportant tous leurs biens dans des chariots

---

1. Les documents hittites parlent de pirates et de pilleurs.

2. C'est le cas des deux des grandes villes cananéennes de l'heure: Ugarit et Tyr.

tirés par des boeufs (tel que l'iconographie égyptienne nous les présente)[1].

Grâce à leur supériorité militaire, ces guerriers s'installent rapidement, formant une enclave qui, ultimement, établira de bons rapports de voisinage avec les Égyptiens au XIIe siècle. Un autre groupe, les *Tséker*[2] s'installent à Dor, ville côtière située légèrement plus haut que Mégiddo [Carte 9].

Quant aux *Péleset*, dont les récits bibliques ont conservé le souvenir sous le nom de *Philistins*, ils forment une confédération composée de cinq royaumes[3]. Chacun d'eux est dominé par un roi, qui est en réalité une sorte de chef militaire. À travers une aristocratie militaire, il gouverne la population locale, composée de Philistins et des autres Peuples de la Mer nouvellement sédentarisés (ainsi que les anciens Cananéens autochtones). Cette aristocratie est formée des chefs de clans philistins. Si à l'origine leur culture se rattache directement au monde de Mycènes, comme l'indiquent le style et les motifs géométriques de leur poterie, avec les générations, les Philistins vont adopter le matériel culturel des Cananéens; il en sera de même pour nombre de leurs divinités. Après leur installation, les nouveaux arrivants se lancent à la conquête de l'intérieur des terres, celles-là mêmes que con-

---

1. Les premières traces de la présence philistine remontent aux années 1216-1210, sous le règne du pharaon Séthi II; par contre, le gros des forces philistines débarquera après l'échec infligé par Ramsès III, dans le Delta, en 1190.

2. Mentionnés dans un texte littéraire égyptien de la première moitié du XIe siècle, "Les mésaventures de Wen-Amon".

3. Un élément intéressant concernant les Philistins est le fait qu'ils introduisent, en Palestine, l'usage du fer dans les objets de la vie courante. À partir de cette date, le bronze cesse d'être le métal stratégique pour la fabrication des armes et des outils et est graduellement remplacé par le fer. Pour les archéologues, le phénomène marque le début de l'Âge du fer. Ajoutons que la métallurgie du fer était déjà connue des Hittites depuis le XIVe siècle; son usage était cependant limité et les Hittites exerçaient sur ce métal précieux un monopole très strict.

voitent les tribus juives. C'est dans ce contexte d'affrontements pour le contrôle du même territoire que le regroupement politique des Hébreux se réalise et qu'est créée la monarchie avec Saül, puis David.

LE RENOUVEAU CANANÉEN: LA PHÉNICIE

Pour les populations cananéennes ainsi que leurs États, ces brassages de peuples déferlant sur leur territoire pendant près de deux siècles ne fut pas sans effets profonds. Si l'on se replace dans le contexte de cette lente mais sérieuse crise économique et culturelle qui marque le Couloir à partir de l'occupation égyptienne et hittite (1500-1200), il est facile de comprendre que la résistance des Cananéens n'ait pu contenir l'assaut des Peuples de la Mer ou des tribus sémitiques. Suite à ces

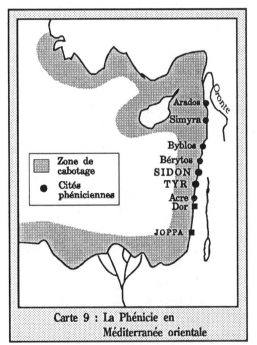

Carte 9 : La Phénicie en Méditerranée orientale

invasions, 90% du territoire dit "cananéen" passe sous le contrôle des nouveaux venus. Près des 3/5 de la côte échappent ainsi aux anciens Cananéens: seuls demeurent sous leur gouverne les quelques 200 km de côte qui formeront bientôt

201

la "Phénicie"[1]. Même si plus tard, les Phéniciens étendent leur influence vers vers le Sud jusqu'à Joppa, ils seront tenus en échec par les Araméens vers l'intérieur des terres, c'est-à-dire vers l'Est.

La zone "phénicienne" devient donc, à partir du XIe siècle, le dernier bastion cananéen. Peu à peu, les cités côtières de la région se remettent des bouleversements économiques et politiques occasionnés par le passage ou l'arrivée des nouvelles populations. Bientôt, à la fin du XIIe siècle, sous l'impulsion de Sidon et de Byblos, le renouveau se prépare.

Trois facteurs principaux favorisent ce renouveau dont la caractéristique principale est la création de l'Empire maritime de la Phénicie sur la Méditerranée[2]: une innovation technique, la disparition du royaume des Hittites et la généralisation de l'usage du fer. L'innovation technique concerne la construction de citernes étanches, pour la conservation de l'eau potable. Grâce à la possibilité de conserver l'eau à l'intérieur des murs de la ville et ainsi, de ne plus dépendre de l'arrière-pays pour se ravitailler en eau potable, des villes portuaires comme Tyr ou Arvad purent se tourner résolument vers la mer; un plus grand nombre de personnes pouvaient donc vivre à l'intérieur des murs, augmentant d'autant le nombre de ceux en mesure de s'occuper du commerce, des navires et, ultimement, de la colonisation; les comptoirs ainsi fondés par les Phéniciens en Afrique du Nord s'appuieront toujours sur ces fameuses citernes, évitant de dépendre uniquement de la bonne volonté des populations locales; on retrouve le même phénomène en Méditerranée où nombre

---

1. À quoi s'ajoute l'arrière-pays des montagnes libanaises, source importante de bois.

2. Dont la plus célèbre des colonies sera Carthage, fondée en 814 ou 812 par des Tyriens.

d'îles sans eau seront transformées en comptoirs ou points de communication par les Phéniciens. Cette innovation technique fut rendue possible grâce à la découverte du plâtre de chaux.

Le facteur politique qui favorise le développement de la Phénicie est, sans contredit, la chute de l'Empire hittite vers 1180. En l'absence d'un État continental fort en Anatolie, les Phéniciens eurent ainsi la voie libre pour ouvrir des routes commerciales vers l'Égée, en longeant les côtes de l'Asie Mineure. Il convient d'ajouter que la chute de l'Empire égéen des Mycéniens ne fit qu'ajouter à la conjoncture favorable que connaissaient alors les villes marchandes phéniciennes[1].

Le troisième facteur, d'ordre économique, touche l'extension de l'usage du fer, les Phéniciens se trouvant au centre de la forte demande dont le nouveau métal faisait l'objet. Des dépôts de fer existaient dans les montagnes du Liban que les Phéniciens ne tardèrent pas à exploiter pour leur propre compte. Ils surent rapidement utiliser ce métal pour la fabrication de haches plus efficaces que celles de bronze, permettant de couper de grosses pièces de bois; ils purent ainsi procéder à la construction de navires plus grands et plus solides qu'auparavant. Autonomes au niveau de leur approvisionnement en bois de construction et en minerai de fer, les Phéniciens possédaient ainsi les bases matérielles nécessaires pour assurer leur propre destinée!

Nous connaissons très mal l'histoire intérieure des cités phéniciennes, dont les principales sont Arvad, Byblos, Beryte[2],

---

1. À l'exception, cependant, des pirates qui sont toujours très actifs dans la région, dont les Tséker, installés à Dor.

2. L'actuelle Beyrouth.

Tyr et Sidon. La documentation écrite est rare et, lorsqu'elle existe, elle est par trop parcellaire, voire très ponctuelle. Cependant, les quelques inscriptions locales, auxquelles s'ajoutent des passages de l'Ancien Testament, des textes égyptiens (tel le récit des *Mésaventures de Wen-Amon*), les inscriptions et annales des rois assyriens, nous permettent de dresser un tableau général de la situation dont voici les principaux éléments.

Sur la plan de la structure politique, les États-Cités de la Phénicie étaient dominés par une monarchie dont le titre se transmettait de père en fils. Il semble que la fonction sacerdotale ait été exercée à l'occasion par le roi lui-même ou, parfois, par la reine, ce qui conférait à cette dernière une certaine influence politique. Il paraît certain que les rois étaient assistés dans leurs fonctions par un gouverneur, un chef d'armée et un conseil des Anciens. Au cours des siècles, ces Anciens, en tant que représentants des grandes familles de marchands, augmentèrent leur poids politique vis-à-vis du monarque. Ultimement, quelque part au VIe siècle, ils en vinrent à le remplacer à la tête de l'État. Il est bon de souligner ici que, lorsque les Assyriens s'empareront de la Phénicie, au VIIIe siècle, les monarques seront flanqués d'un gouverneur assyrien, dont le rôle sera d'une part, d'informer Ashur de ce qui se passe dans les territoires conquis, et d'autre part, de transmettre les ordres des conquérants.

ÉTAPE 8: LES GRANDS EMPIRES PROCHE-ORIENTAUX (900 - 30 a.n.è)

À partir du Xe siècle, l'histoire du Proche-Orient peut s'aborder comme une totalité, dominée qu'elle est par le nouveau phénomène des *empires universels*. D'abord, celui de l'Assyrie. Profitant du vide politique laissé par la période des invasions, et utilisant l'instrument privilégié qui avait assuré la survie de la population, c'est-à-dire l'armée, les Assyriens étendirent au VIIIe siècle leurs zones d'influence autant vers le Sud mésopotamien que vers le Couloir. Malgré la puissance de frappe dont ils disposaient, ils ne purent que difficilement se maintenir dans les contrées conquises. Les révoltes étaient constantes, favorisées d'une part par l'Égypte dans le Couloir et l'Élam en Babylonie. Ainsi, les armées assyriennes durent-elles passer une partie de leur temps et gaspiller une énergie folle à reconquérir et à "punir" les cités et les États récalcitrants ou rebelles. Lorsqu'ultimement la capitale assyrienne de Ninive tomba (611), sous les coups conjugués des Babyloniens et des Médo-Perses, c'est un Proche-Orient épuisé et ruiné politiquement et économiquement qu'ils laissaient derrière eux.

C'est alors que l'on assiste à deux *renaissances*: celle de l'Égypte, avec la XXVIe dynastie (663 - 525), et celle de Babylone, avec l'Empire néo-babylonien (626 - 539). Quant au Couloir, il continue à faire l'enjeu des deux grandes puissances de l'époque. Suite aux conquêtes du pharaon Néchao (609 - 604), l'Égypte reprend le contrôle de toute la Syrie-Palestine. Le pouvoir égyptien est cependant fragile et les villes de Phénicie continuent normalement à vaquer à leurs activités commerciales. La situation demeurera sensiblement la même lorsque le Babylonien Nabuchodonosor (605 - 562) s'emparera de la région[1].

Un tournant déterminant pour la suite de l'histoire du Proche-Orient se produit lorsque, sur le plateau iranien, les Perses, sous la direction de Cambyses I (600 - 559), s'imposent aux Mèdes et créent un nouveau royaume, celui des Aché-

---

1. Non sans difficultés, comme l'indique le long siège de 13 ans que les Babyloniens durent maintenir devant la ville de Tyr!

ménides[1]. En l'espace de quelques décennies, c'est l'ensemble du Proche-Orient qui passe sous leur juridiction. Poussant même une pointe du côté de l'Europe, les troupes perses tenteront une offensive contre les Scythes, à travers les Balkans (514); plus tard, en 490 et en 479, les armées perses seront arrêtées par les Athéniens, lors des fameuses batailles de Marathon et de Salamine.

La réponse du monde grec à ces tentatives perses de prendre pied en Europe fut d'abord celle de la Ligue de Délos, créée en 477 sous la direction d'Athènes, puis celle du Macédonien Alexandre le Grand (336 - 323). En quelques années seulement, celui-ci s'emparait du vaste Empire perse et y ajoutait de larges portions de l'Asie centrale. À sa mort, son propre Empire fut partagé entre ses trois généraux; ainsi naquirent le royaume des Antigonides, en Macédoine (jusqu'en 168), celui des Séleucides en Asie occidentale ancienne (jusqu'en 63), et celui des Lagides (ou des Ptolémée) en Égypte (jusqu'en 31)[2].

ÉTAPE 9: DE ROME À BYZANCE (du Ier siècle a.n.è au VIIe siècle de n.è.)

L'Urbs romaine allait prendre la relève à la suite de sa politique de conquêtes de "l'Orient", amorcées par celles des cités grecques (148 - 146) et dont le point culminant, après la conquête de l'Asie Mineure et de la Syrie-Palestine, sera celle de la vallée du Nil, en 31 avant notre ère. Il faut souligner qu'au Proche-Orient, Rome ne contrôlera jamais l'ensemble de la Mésopotamie; sa domination s'y limitera à la

---

1. Du nom d'un certain Achéménès, considéré comme le fondateur de la lignée royale au début du VIIe siècle.

2. Toutes les dates sont avant notre ère.

Haute vallée, le reste étant sous le contrôle des Parthes[1] (depuis 141 avant notre ère), puis des Sassanides[2] (à partir de 226 de notre ère).

Avec la chute de Rome, l'empire d'Orient se maintient encore quelques siècles sous la gouverne de Constantinople (Byzance). Le Proche-Orient fut à nouveau unifié dans sa totalité à la suite des invasions arabes du VIIe siècle qui firent de Bagdad, située sur le Tigre, au Nord de l'ancienne Babylone, la capitale du nouvel empire.

2. L'UNIVERS POLITIQUE: DU SYSTÈME PHARAONIQUE À L'ÉTAT-CITÉ

Lorsque nous consultons les inscriptions et les textes du Proche-Orient ancien, nous sommes immédiatement frappés par la place prépondérante qu'y occupent les monarques des différents États. Aucune action ne semble entreprise sans leur consentement direct alors que, dans les relations qui unissent les hommes et les dieux, leur rôle d'intermédiaire privilégié est affirmé comme un dogme incontestable. Ces quelques éléments suffisent à montrer que dans les sociétés de notre région, l'univers du politique est non seulement dominant mais, en même temps, il est indissociable de celui du religieux, celui où s'élaborent les idéologies concernant la nature et les structures du pouvoir politique.

---

1. Il s'agit de populations d'origine iranienne.

2. Il s'agit d'un autre groupe de populations du plateau iranien.

A) LE SYSTÈME PHARAONIQUE

C'est avec Hor-Aha, fondateur de la première dynastie vers 3100 avant notre ère, que commence la période *pharaonique* de l'histoire de la vallée du Nil. Suite aux victoires militaires de ses deux prédécesseurs, Scorpion et Narmer, le Delta et la Haute vallée sont réunis sous une même couronne; à partir de ce moment, l'ensemble des activités du pays relève de l'État central, la *Maison du Roi de Haute et de Basse Égypte*. Le système pharaonique se caractérise donc par la présence d'un pouvoir unificateur placé au-dessus des anciennes communautés villageoises; il gère leurs divers besoins, que ces derniers relèvent de l'univers matériel (irrigation, drainage, commerce, matières premières, etc.) ou de celui de l'imaginaire, via le rituel (univers du divin, représenté par les forces de la Nature et leur incarnation dans les diverses divinités du panthéon).

À partir du moment où le chef de l'État a réussi à concentrer entre ses mains l'exercice des divers pouvoirs (économique, politique, juridique, religieux et culturel), il a fallu mettre au point une structure administrative permettant à des *spécialistes* au service du roi de gérer adéquatement les multiples tâches en découlant. Si, à l'origine, les grands commis de l'État sont pour la plupart issus du clan familial du roi, les besoins grandissants de la gestion pharaonique ont vite fait d'entraîner la création de cette armée de scribes dont nous parle tant la documentation. Ces derniers, formés à la lecture et à l'écriture des hiéroglyphes, constituent ainsi l'épine dorsale d'un système administratif fonctionnant à deux niveaux. Le premier est centré sur le palais royal, appelé *Grande Maison* par les anciens Égyptiens; c'est là que se retrouvent les chefs de service comme le vizir, le Chef du trésors, le Chef des greniers royaux, le Grand-prêtre de Rê ou d'Amon (selon les périodes de l'histoire), le Surintendant des terres royales, le Surintendant du bétail royal et quelques autres, selon les époques. Un second niveau correspond à l'administration locale, c'est-à-dire celle qui s'occupe de la gestion des nomes (provinces). Leur nombre varie peu au cours de l'histoire et se situe autour de 42, chacune dirigée par un *Hatya*.

Nous avons déjà souligné la grande stabilité du système pharaonique dont la durée représente un cas unique dans l'histoire de l'humanité[1]. En y apportant quelques nuances, l'on pourrait y ajouter les deux millénaires de notre ère puisque, à travers l'époque byzantine et celle de l'Égypte islamisée, nous retrouvons essentiellement les mêmes structures: celles où l'État central constitue l'élément dominant de la société. Sous les pharaons, cette dominance a pris la forme d'une idéologie originale, où le pharaon, personnage central du système, est considéré comme le fils du dieu suprême du pays. Or, à y regarder de plus près, force nous est de constater que cette *divinité* s'inscrit dans une conception plus large de l'univers où le pharaon et l'institution qu'il incarne sont directement responsables de l'équilibre entre les diverses composantes du monde.

Sa tâche principale, selon les Égyptiens, est de *maintenir Maât*, c'est-à-dire *la Vérité, la Justice et l'Ordre* (à la fois social et cosmique). Sans "pharaon", roi de Haute et de Basse Égypte, Maître des Deux Terres, c'est le *Chaos*; plus précisément, c'est la victoire de Terre Rouge sur Terre Noire, la famine, l'instabilité sociale, l'anarchie, la faiblesse de l'État face aux pays étrangers. L'histoire politique de l'Égypte nous amène alors à nuancer l'idée que l'on se fait habituellement du roi-dieu en tant que personnage divin. En fait, c'est l'institution monarchique comme telle qui est d'origine et d'essence divine, alors que son titulaire ne devient divin que lors-

---

1. La Chine impériale arrive en second, avec une durée de près de 2200 ans.

qu'il en reçoit officiellement la charge[1]. Au cours de l'histoire, nombre de personnages "non-royaux" prennent le pouvoir dans des conditions politiques qui relèvent du coup de force, ou à la suite de l'absence d'un successeur mâle issu de la famille royale. L'exemple classique du coup d'État demeure celui réalisé par le vizir Aménemhat: en 1991 avant notre ère, il renverse le pharaon légitime, Mentouhotep IV, et se proclame *Nésout-bity*. Son fils Senousrèt Ier lui succéde, d'ailleurs, dans un contexte de grande confusion politique que nous rapportes *Les Aventures de Sinouhé*: alors que le fils revient d'une expédition punitive contre les populations vivant à l'Est du Delta, Aménemhat est lui-même victime d'une tentative de coup d'État. La nouvelle est immédiatement transmise à Senousrèt qui, devant l'urgence des événements, se précipite au palais. Il reprend la situation en main mais Sinouhé, dont l'appartenance au groupe de rebelles ne semble pas faire de doute, doit s'exiler du côté de la Palestine.

On note donc, à travers l'histoire des trente dynasties égyptiennes, de perpétuels conflits d'intérêts entre les diverses fractions de la classe dominante et les grandes familles qui se partagent les principaux éléments du pouvoir: l'administration civile, le secteur des temples et, surtout à partir du Nouvel Empire, celui des forces armées. Un récit de l'Ancien Empire raconte comment le clergé d'Héliopolis réussit non seulement à imposer le culte de Rê comme religion d'État mais également, à mettre sur le trône du pays les pharaons de son choix[2]. Au Nouvel Empire, les conflits d'intérêts vont se

---

1. D'où toute une série de symboles qui accompagnent les représentations du pharaon: ses 5 noms officiels, les diverses couronnes et sceptres qu'il porte, les superlatifs qui le qualifient, l'éternelle jeunesse dont il jouit et les exploits, réels ou fictifs, que l'iconographie lui attribue.

2. Cela se passait au début de la Ve dynastie.

transformer en luttes farouches entre, d'une part le pouvoir royal et, d'autre part le puissant clergé d'Amon. L'épisode de la crise amarnienne, à l'époque d'Akhénaton (1359 - 1342), s'inscrit dans cette dynamique. La crise sera ultimement dénouée par la prise du pouvoir par le chef des armées égyptienne, Horemheb, en alliance avec les grands-prêtres d'Amon de Karnak.

Mais au-delà de ces luttes qui perturbent plus ou moins régulièrement la haute sphère du politique, une constante demeure: jamais l'institution pharaonique n'est contestée. C'est elle qui perdure, au-delà des hommes et de leurs ambitions personnelles. Cette durabilité repose, en fait, sur une base solide: une sorte d'alliance d'intérêts entre l'institution monarchique et les masses paysannes, à travers les fonctions hydrauliques de l'État[1], ainsi que par ses devoirs *biologiques* envers les communautés locales[2]. À l'époque romaine, lorsqu'il devint difficile à cause des distances et des successions rapides de connaître le nom de l'Empereur qui agissait comme pharaon dans la vallée du Nil, les scribes se contentèrent d'inscrire, dans le cartouche royal accompagnant les documents officiels, le mot *pharaon*. En fait, pour les Égyptiens, peu importe qui règne réellement, en autant qu'il y a un pharaon et que l'institution monarchique perdure. L'Ordre du monde est ainsi sauvegardé!

---

1. Irrigation et drainage, contrôle des eaux, établissement des cadastres.

2. Distribution de grains aux régions touchées par de mauvaises crues et menacées de famine, sans oublier un taux d'imposition sur le travail agricole qui est toujours proportionnel à la production rendue possible par la crue. Le taux peut tomber à zéro si une région particulière a connu une très mauvaise crue.

B) ÉTAT-CITÉ ET EMPIRE

En Asie occidentale ancienne, le développement politique se réalise dans un contexte fort différent de celui de la vallée du Nil. Il s'inscrit d'abord et avant tout à l'intérieur d'un processus d'*urbanisation*, que certains n'hésitent pas à qualifier de *révolution urbaine*.

C'est à partir du IVe millénaire que le phénomène devient marquant: il se caractérise par le développement démographique et matériel de certains villages, par l'apparition de l'architecture monumentale avec les temples qui dominent les agglomérations importantes puis, l'introduction de murailles qui visent à la protection des habitations. Il importe cependant de préciser que lorsque nous parlons de *centres urbains*, nous ne signifions aucunement tout ce que le concept d'urbanisme sous-entend en termes de structures internes: développement planifié de l'habitat, réseau routier intérieur facilitant la circulation, domination totale de la ville sur la campagne. Il s'agit davantage de gros villages qui, au cours des siècles, se sont imposés comme centres religieux, politiques et économiques, et abritant la maison de la divinité principale de la région ainsi que celle du monarque. En même temps, ces centres en sont venus à loger non seulement des producteurs agricoles, mais également des ouvriers spécialisés ainsi que les membres de la classe dominante.

Ainsi, avec le développement des structures politiques à Sumer et ailleurs, en Asie occidentale ancienne, les petits États se sont organisés à partir d'une Cité maîtresse, regroupant autour d'elle un certain nombre d'autres cités [Figure 9]. Gravitant dans leurs sphères géographiques respectives, nous retrouvons la campagne, avec sa population paysanne qui habite les diverses communautés villageoises du territoire.

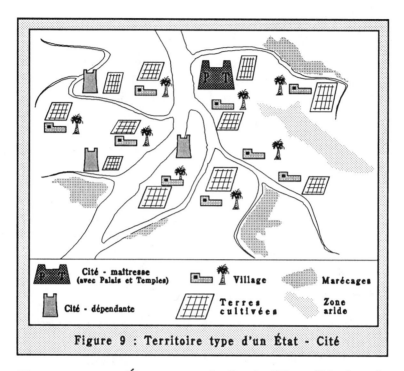

Figure 9 : Territoire type d'un État - Cité

Tout comme en Égypte, vers la fin du IVe millénaire, des inégalités importantes apparaissent au sein des diverses communautés, ainsi qu'entre les communautés. Des groupes dominants se forment (familles ou clans) et, à travers le contrôle de la richesse (la terre) et celui des cultes (les temples), s'élabore une *élite politique* dont les chefs portent le titre de *En*, de *Ensi* ou de *Lugal*. À l'origine, ces trois titres semblent correspondre à des fonctions différentes: le *En* se caractérise par la prépondérance de son rôle religieux, le *Lugal* (*Grand Homme*, en Sumérien) par son aspect de chef de guerre, l'*Ensi* (dont la fonction est plus tardive) par une origine qui semble le rattacher davantage à la direction des travaux hydrotechniques. Avec le IIIe millénaire et la Ière dynastie de Kish (vers 2800), la monarchie, de temporaire qu'elle était, devient permanente.

213

Dès lors, l'État-Cité est né. L'institution monarchique, s'inspirant des expériences accumulées au cours des derniers siècles, se dote ensuite des moyens administratifs[1] qui assurent le respect de son autorité; en même temps, ils lui procurent les outils nécessaires pour faire face aux nombreuses fonctions qui, désormais, incombent au chef de l'État.

En fait, les responsabilités du monarque envers la collectivité touchent une grande variété de secteurs; leur dénominateur commun est le maintien et la reproduction des diverses communautés. En même temps, et d'une façon dialectique, ces responsabilités assumées par l'État concourent à son propre maintien: les services rendus sont, dans la réalité quotidienne, essentiels pour la survie des communautés; en contrepartie, ils servent à valider les prétentions royales auprès de la population.

Quant à ces fonctions du chef de l'État, elles peuvent se résumer ainsi: sur le plan économique, c'est lui qui initie, dirige et contrôle les grands travaux agricoles (via l'hydrologie) et les questions qui concernent la propriété de la terre; cette dernière demeurera toujours la base de la prospérité et de la richesse du pays[2]. Dans les domaines administratif et juridique, il voit au maintien de l'ordre, de la paix et de la justice en promulguant lois et codes. Dans le secteur du religieux, son rôle cultuel s'affirme surtout en relation avec la question de la fertilité; en outre, la monarchie étant d'origine divine, elle fait du roi le vicaire des dieux sur terre: le roi doit donc pourvoir à la construction et à la restauration

---

1. Fonctionnaires, scribes, écriture, structures de gestion, écoles, systèmes d'archives, réseau de communication par lettres, etc.

2. Ce contrôle permet ainsi la concentration des surplus qui servent ensuite à la quête des matières premières ainsi qu'à la prise en charge et au développement du commerce à long rayon d'action.

des demeures terrestres des divinités, tout en fournissant aux temples les biens qui sont nécessaires à l'entretien du personnel ainsi qu'aux cultes journaliers. Sur le plan militaire, il est responsable de la défense de la Cité et de l'État de sorte que l'édification et la réparation des murailles sont parmi ses soucis les plus constants.

À la différence de son *confrère* égyptien, le monarque mésopotamien n'est pas considéré d'essence divine[1]. Il est plutôt le représentant des dieux sur terre, au nom de qui il gouverne les hommes; selon l'idéologie juridico-religieuse qui sert à définir la monarchie et son titulaire, ce sont les dieux qui sont les véritables propriétaires de tout ce que contient le pays. Notons au passage que l'hérédité de la charge ne constituera jamais, comme en Égypte, la base juridique de la transmission de l'autorité royale.

À chaque nouveau règne, les dieux devaient se prononcer et leurs volontés devaient être adéquatement interprétées à travers la lecture des songes, des présages ou des signes trouvés dans les organes de certains animaux. Or, ce sont les prêtres qui possédaient cette faculté de percer le mystère des désirs divins. Lorsque la famille royale était assez forte pour faire échec à la puissance des temples, il devenait plus "facile" d'obtenir une lecture favorable. Par contre, si la position du roi était précaire et affaiblie pour une quelconque raison (guerre, invasion, difficultés économiques ou sociales intérieures, opposition de l'aristocratie), les prétendants au trône n'avaient aucune difficulté à trouver un "appui divin" à leurs

---

1. Même si, en de rares occasions, certains rois sont représentés avec l'attribut du divin, comme c'est le cas avec Naram-Sin d'Akkad (2291 - 2255) et quelques autres avant le règne d'Hammourapi.

215

ambitions[1]. Aussi, l'histoire de la Mésopotamie fournit-elle de très nombreux exemples de crises de succession, rendues possibles par suite de l'utilisation politique des "volontés divines" exprimées par l'art divinatoire. La puissance réelle des temples n'est certainement pas étrangère à ce phénomène particulier de la monarchie mésopotamienne.

En abordant les étapes historiques de l'Asie occidentale ancienne, nous avons souligné le morcellement politique de la région ainsi que la tendance *hégémonique* de certains États. Ce phénomène du passage de l'État-Cité à l'Empire est proprement mésopotamien et ne s'applique guère aux Cités du Couloir syro-palestinien; cette dernère région se caractérise par la multiplicité des États qui se partagent le territoire et par l'absence de liens inter-étatiques du type ligue ou confédération[2].

Les raisons qui contribuent à la recherche d'hégémonie d'un État-Cité sur les autres sont certes nombreuses et variées: contrôle des routes commerciales, accès à la mer, gains économiques immédiats (butin, tributs, rançons), protection du territoire, affirmation de puissance et quête de la gloire, etc. Un État-Cité se lance donc à la conquête de ses voisins immédiats puis, si les dieux de la guerre le favorisent, l'expansion atteint des contrées plus lointaines.

---

1. D'ailleurs, un des thèmes qui revient souvent pour expliquer la chute d'une dynastie ou d'une Cité, est celui de l'intervention directe de la divinité titulaire au profit du vainqueur. Les textes mettent alors l'emphase sur l'impiété du monarque déchu (ou autre faute du genre) et rappelle qu'il a *perdu la royauté* par suite d'une décision de la divinité; c'est elle qui alors décide de la confier à quelqu'un d'autre. Interprétation commode qui laisse beaucoup de latitude aux "prétendants".

2. Même en face d'un puissant voisin, tel l'Égyptien, l'Assyrien ou le Hittite, les alliances locales se font et se défont au gré des ambitions à courte vue des monarchies impliquées, dans un climat de jalousie malheureusement difficile à surmonter.

Or, gouverner un Empire nécessite un ensemble de structures politiques, militaires et administratives fort différentes de celles d'une petite Cité. Malgré les nombreuses innovations qui ont été introduites au cours des siècles afin de constituer les éléments d'un gouvernement impérial[1], le maintien des Empires a toujours été marqué d'une très grande précarité.

Les forces en jeu, internes comme externes, n'ont jamais favorisé leur cohésion et, au-delà de quelques règnes, leur désintégration apparaît comme inévitable. D'un côté, les Cités acceptent mal d'être sous la dépendance d'une autre. Certes, les aristocraties locales peuvent, pendant un temps, se soumettre au mauvais sort de la guerre et reconnaître une suzeraineté extérieure. Cependant, cette acceptation n'est généralement que de courte durée: les complots s'organisent et les rébellions éclatent. Si le pouvoir impérial possède les moyens militaires appropriés, les répressions s'ensuivent, avec leur cortège de morts et de destructions. D'autre part, les forces externes, tels les mouvements de populations, ne sont pas sans se conjuguer aux premières pour accélérer, la plupart du temps, le processus de désintégration. Dans le cas des pressions nomades, l'État impérial se voit aux prises avec la nécessité d'une présence armée constante sur ses frontières alors qu'à l'intérieur, grondent les chefs locaux en mal de liberté. L'histoire de l'Empire de Babylone au IIe millénaire, ainsi que celui de l'Assyrie au Ier, illustrent parfaitement la dynamique que nous venons de décrire. À long terme, l'épuisement économique, politique et moral dans lequel se trouve-

---

1. Soulignons les expériences de Sargon d'Akkad, celles des empires d'Ur III, de Babylone et des Assyriens: développement de l'armée, création du système des garnisons, présence de gouverneurs locaux, uniformisation des us et coutumes (via la promulgation de codes de loi applicables à tous), amélioration de la circulation des informations à l'intérieur de l'Empire, établissement de règles politiques et diplomatiques régissant les rapports entre roi vainqueur et rois vaincus, sans oublier la répression brutale des rébellions.

ra l'ensemble des populations du Proche-Orient à la suite de l'épisode assyrien ne sera pas sans grandement faciliter la rapide constitution de l'Empire perse au VIe siècle avant notre ère.

C) LA MONARCHIE HITTITE

Si la question de l'élaboration des grands travaux d'irrigation et de drainage joue un rôle important dans le développement des États mésopotamien et égyptien, il en va tout autrement chez les communautés hittites. En fait, chez les Hittites, l'É-tat monarchique semble prendre forme à partir du modèle de centralisation prévalant dans les grandes vallées, mais dans un contexte où les communautés locales ainsi que l'aristocratie jouissent d'une autonomie beaucoup plus grande par rapport au chef de l'État.

C'est peu après l'an 2000 que les tribus "hittites"[1] apparurent en Asie Mineure. Une fois stabilisées et installées en Anatolie, les nouvelles communautés donnèrent naissance à plusieurs petites principautés basées sur la prépondérance des éléments de leur aristocratie tribale. Puis, dans le courant du XIXe siècle, l'État monarchique apparut, dont le titulaire semble avoir été un *Grand Chef* de famille ou de tribu.

Que la fonction royale, à l'origine, ait été ou non élective, il est clair que le roi eut à lutter contre les autres chefs des grandes familles pour instaurer l'autonomie de son pouvoir politique et militaire. En réalité, les membres de l'aristocratie tribale qui dominaient les diverses communautés locales possédaient un nombre étendu de privilèges dont la propriété de grands domaines; ils étaient par contre liés au palais par les hautes fonctions qu'ils exerçaient dans l'État.

---

1. Nésites, Palaïtes et autres.

Dans sa lutte contre cette aristocratie, la monarchie naissante sut utiliser les pouvoirs "démocratiques" de l'Assemblée des citoyens; c'était un organisme qui remontait à l'époque où les questions politiques relevaient directement des membres des tribus. C'est ainsi qu'au XVIe siècle, alors que le royaume traversait une grave crise de succession, le roi Télépinus (1525 - 1500) réussit un coup de force contre l'aristocratie et régla le problème de son autonomie politique: il fit proclamer par l'Assemblée un décret spécial visant à établir l'hérédité de la couronne, assurant ainsi la position juridique de la famille royale. Par la suite, à la faveur de l'Empire, le rôle de l'Assemblée tomba en désuétude, le pouvoir royal tendant à devenir de plus en plus absolutiste.

Même si la propriété privée de la terre était très répandue, le roi demeura le principal propriétaire terrien; il possédait un domaine d'envergure dont l'importance augmentait avec les conquêtes de ses armées. Il allouait des fiefs à ses grands administrateurs et aux militaires en échange de leurs services. En principe, ces terres demeuraient propriété royale; cependant, la réalité montre qu'elles étaient facilement cessibles. Les autres propriétaires terriens étaient représentés par les grandes familles aristocratiques, les artisans et les soldats, les communes familiales organisées en communautés villageoises, ainsi que les temples dont les domaines étaient assez considérables Quant aux paysans, leur situation est mal connue. On note, entre autres, que les citoyens ordinaires, d'origine hittite, sont considérés comme libres; ils peuvent obtenir en fermage des terres provenant soit des temples, soit des fiefs possédés par l'aristocratie, soit des domaines royaux.

L'évolution de la société hittite a malheureusement été interrompue au début du XIIe siècle par l'arrivée, en Asie Mineure, d'une nouvelle vague d'Indo-européens, à savoir: les Phrygiens. La faiblesse dont firent montre alors les structures

politiques de l'État monarchique hittite illustre avec netteté
la fragilité du système: la monarchie centralisée à tendance
absolutiste des Hittites avait quelque chose d'artificiel. Sans
la force, l'autorité royale pouvait difficilement maintenir la
cohésion des diverses communautés locales. Les invasions
achevèrent de disperser cette force que les longs conflits
égypto-hittites des XIVe - XIIIe siècles avaient fini par user.
Ainsi, la chute de l'État et de l'Empire hittites fut-elle aussi
brutale que rapide.

D) LA CRÉATION DE L'ÉTAT D'ISRAËL

À partir du XIIIe siècle, la suprématie égyptienne en Syrie-
Palestine s'affaiblit de plus en plus, jusqu'à disparaître complètement au moment des grandes invasions. Grâce à cette
absence de l'Égypte ainsi que des autres grandes puissances,
tels le Khatti et l'Assyrie, les nomades que la Bible identifie
sous le nom d'*Hébreux* purent graduellement s'installer en
Canaan.

Lorsque l'on consulte le livre de la *Genèse*, à la recherche du
passé le plus lointain des Hébreux, on rencontre d'abord
Abraham et les patriarches. Historiquement, ce texte biblique
a conservé le souvenir d'une époque lointaine où les familles
et les clans nomadisaient, très certainement sur les franges du
Couloir. Organisés en sociétés de pasteurs, éleveurs de petit
bétail, ces "Hébreux" des origines étaient présents dans la
région bien avant que ne s'amorce leurs mouvements de
sédentarisation. À quel moment se déroulent ces événements? Ici, la question de la chronologie est difficile. Pour
résoudre le problème, il importe de se tourner vers l'archéologie. Voici, en résumé, le tableau que l'on peut aujourd'hui
dresser de la question.

Le point tournant chronologique, c'est la fin du XIIIe siècle. C'est à partir de cette date que nous pouvons commencer à parler du processus de sédentarisation des nomades. Les régions touchées sont celles du centre et de l'Est de la Palestine, dans la zone frontière des montagnes, celle où se rencontrent habituellement le monde des sédentaires et celui des nomades. Or, à partir de 1400 environ, une crise économique et sociale commence à se faire sentir dans le monde cananéen, soumis qu'il est à la domination égyptienne dans la région ainsi qu'aux nombreux conflits qui opposent les grandes puissances de l'époque.

Parmi les conséquences que cette crise occasionne, il en est une qui a une incidence directe sur le monde des nomades. En effet, l'on peut constater que, durant le Bronze récent (1500-1200), la population de Canaan connaît une diminution radicale. Les estimés évaluent la baisse démographique à environ 50%. Dans ce contexte, il n'est pas étonnant que nous assistions au dépeuplement systématique des zones frontalières ainsi qu'à l'abandon d'anciennes villes, jadis plus prospères.

Les causes de ce phénomène sont multiples: une exploitation sévère des populations locales, la taxation, les guerres, la répression des révoltes. À cela s'ajoute un autre phénomène, plus difficilement mesurable: il s'agit d'une grave épidémie qui semble avoir frappé les populations à l'époque du pharaon Akhénaton (1359-42). Les documents égyptiens nous parlent, en effet, d'une épidémie qui faucha 4 des 6 jeunes filles du roi ainsi que plusieurs membres de son entourage. Cela se passait vers l'an 11 de son règne. Selon les informations tirées des lettres d'Amarna, l'on note que la maladie ravageait alors la région de Byblos ainsi que l'ensemble de la côte phénicienne. Il est donc plus que certain que l'épidémie ne se limita pas à cette seule région et qu'elle s'étendit à l'ensemble de la Palestine, voire même de la Syrie.

Pour expliquer la diminution de la population sédentarisée, un dernier mécanisme doit être ajouté, à savoir: un transfert de sédentaires vers la vie de nomades. Politiquement et économiquement écrasés, des groupes entiers de villageois (et possiblement de citadins) quittèrent leurs installations et renversèrent le mouvement historique en passant au nomadisme. Le cas n'est pas exceptionnel puisqu'il se vérifie à l'époque ottomane, aux XVIIIe et XIXe siècles, dans la même région et pour les mêmes raisons. Des groupes de Cananéens auraient donc abandonné leurs terres ancestrales pour aller vivre en pasteurs dans les zones frontières, voyant dans ce changement de mode de vie le moyen le plus adéquat pour subsister. Cependant, ils ne s'y retrouvèrent pas seuls. D'autres nomades y étaient déjà présents, que les nombreux documents égyptiens de l'époque qualifient du terme de *Shosou*. En tenant compte de tous les renseignements que les documents égyptiens contiennent, il est fort possible qu'il s'agisse des futurs Hébreux.

Ainsi, avant 1250, une partie de la population sédentaire cananéenne est touchée par une épidémie et disparaît; une autre partie, en vertu des pressions économiques prévalant sous l'Empire égyptien, abandonne ses terres, ses villages, voire même ses villes, pour se réfugier dans les montagnes de l'Est et passer au nomadisme. Parallèlement, des tribus sémites (des Shosou selon les Égyptiens), pérégrinent depuis un certain temps dans la même région, entretenant d'ailleurs de nombreux contacts avec les anciens sédentaires[1].

---

1. Tel que l'illustrent les restes archéologiques des sites temporaires des nomades et qui montrent l'influence de la culture matérielle cananéenne.

Qui sont alors ces nomades qui, à partir de la fin du XIIIe siècle reprennent le mouvement de la sédentarisation dans les zones frontières de la Palestine? L'histoire les identifie comme étant les Hébreux. Par contre, force nous est de reconnaître que ces mêmes Hébreux sont le résultat d'un mélange de diverses populations sémitiques, nomades Shosou et autres, auxquels viennent s'ajouter d'anciens sédentaires cananéens. La base culturelle de ces groupes repose essentiellement sur le mode de vie nomade alors que, linguistiquement, nous pouvons facilement imaginer un temps de "symbiose" permettant la cristallisation des divers parlers sémitiques en une langue nouvelle: l'Hébreux.

Jusque au milieu du XIe siècle, la question de l'unité politique des diverses tribus ne se posa guère, même si durant les dernières décennies avant cette date cette unité sembla apparaître comme un objectif à atteindre.

Il faudra, en fait, l'existence d'un ennemi puissant et capable de ruiner l'oeuvre de sédentarisation des tribus pour que s'impose la nécessité d'unifier leurs énergies et d'organiser, sous la direction d'un seul chef, un État qui soit en position de résister adéquatement aux pressions extérieures. Les Philistins démontrèrent qu'ils étaient cet ennemi. L'objectif de ces derniers était clair: étendre leur contrôle sur l'ensemble de la Palestine ou, à tout le moins, sur la région centrale, située à l'Ouest du Jourdain. Les Philistins lancèrent donc leur offensive vers 1050. En deux batailles, ils écrasèrent systématiquement les troupes juives; dès lors, la région convoitée s'offrait à eux comme une proie facile. Ils la pillèrent systématiquement et imposèrent un dur gouvernement aux populations vaincues.

C'est à ce moment difficile pour les Hébreux qu'apparaissent deux personnages qui allaient orienter le processus d'unification politique des tribus vers l'instauration de la monarchie israélienne: le prophète Samuel et Saül, un guerrier de renom. Ce dernier s'était signalé en dispersant une expédition punitive organisée par les Philistins; grâce à ce fait d'armes, les autres tribus acceptèrent, lors d'une assemblée de tous les Hébreux, de le proclamer roi. Malgré tout, les tribus demeuraient jalouses de leur ancienne autonomie et, lorsque Saül se prit d'un goût trop évident pour le pouvoir, une crise éclata: il se brouilla avec le jeune David, alors chef des armées, et, ultimement, le roi se suicida.

C'est avec le roi David (1000 - 960) que la monarchie israélienne trouva ses bases organisationnelles et juridico-idéologiques. Appuyé par les Lévites, dont les éléments avaient jadis été absorbés par la tribu de Judah, David imposa un discours religieux unique à l'ensemble des tribus: celui du Jahvisme. Avant son accession au trône, le culte du nouveau dieu avait déjà commencé à se répandre vers les tribus du Nord. Les Lévites, qui étaient des spécialistes, étaient perçus par les autres tribus comme des sorciers et des shamans[1]; ils avaient assuré l'attrait des gens pour Jahvé, grâce à leur propre prestige et en combattant durement les divinités locales cananéennes.

Ainsi, lorsque l'autorité et la renommée de David se furent imposées à toutes les tribus, l'ascension de Jahvé suivit celle de son représentant sur terre. Par la suite, avec le choix de Jérusalem comme capitale et la construction d'un premier temple à la divinité, le jahvisme fut proclamé religion d'État, sous la gouverne d'un groupe de prêtres. Il est intéressant de noter au passage que le fait que Jahvé soit devenu un dieu "national" n'a pas éliminé les autres cultes du pays. Ces der-

---

1. Le mot hébreu *kohen*, que l'on traduit par *prêtre*, se réfère directement à ce sens de *shaman*.

niers purent, pendant longtemps encore, continuer leur existence.

Pour le choix des deux premiers rois, les organismes démocratiques issus des communautés avaient fonctionné comme mécanismes politiques; le pouvoir politique reposait à cette époque au niveau de la base et était exercé par les Anciens et l'Assemblée populaire. Or, avec le développement des institutions de la monarchie et de son idéologie religieuse propre, ce pouvoir fut graduellement transféré vers une autorité supérieure, placée au-dessus des communautés. Ultimement, la monarchie devait se suffire à elle-même, grâce à l'introduction du principe de succession père/fils; ce nouveau mécanisme était dès lors situé hors du champ d'intervention des tribus. En choisissant Salomon comme successeur et en le soumettant au rituel de l'onction sacrée, David complétait le processus politique qu'avait amorcé le prophète Samuel. Dorénavant, la monarchie sacralisée allait exister de son plein droit, échappant au contrôle des hommes.

Ce processus historique de l'instauration de la monarchie chez les Hébreux, dont les détails nous sont fournis par les textes bibliques, est de la plus haute importance pour nous. En fait, il nous permet un regard complet sur les mécanismes qui ont dû également présider ailleurs au Proche-Orient à l'apparition de l'institution monarchique. En recoupant les informations que nous tirons des textes mythiques et des légende de Sumer, ces détails mettent en lumière le rôle joué par les institutions et les mécanismes politiques des tribus sédentarisées, ainsi que les processus qui contribuent à la création des institutions supra-tribales, temporaires et électives (les chefferies). En même temps, il est possible de suivre le cheminement de ce nouveau pouvoir qui utilise non seulement les avantages que lui fournissent ses nouvelles fonctions, mais également l'idéologie religieuse comme moyen privilégié pour justifier son existence et son retrait de l'univers humain. Une fois reconnue sa dépendance envers les dieux, et non plus envers les hommes, la monarchie devint inattaquable, assurant ainsi sa pérennité pour de longs millénaires.

GUIDE DE LECTURE

OUVRAGES GÉNÉRAUX SUR LE PROCHE-ORIENT

Aymard, André et Jeannine Auboyer
L'ORIENT ET LA GRÈCE ANTIQUE.
Tome I de: Histoire générale des civilisations (Maurice Grouzet), PUF, Paris 1963.

Ferrill, Arther
THE ORIGINS OF WAR. FROM STONE AGE TO ALEXANDER THE GREAT. Thames and Hudson, London 1986.

Gordon, Cyrus H. Gordon
THE COMMON BACKGROUND OF GREEK AND HEBREW CIVILIZATIONS.
W. W. Norton & Company, New York - London 1962.

Hallo, W. W. et W. K. Simpson
THE ANCIENT NEAR EAST: A HISTORY.
H. B. Jovanivich, New York 1971.

Woolley, Sir Leonard
THE BEGINNINGS OF CIVILIZATION.
Vol. 1, Part II : History of Mankind, Cultural and Scientific Development. A Mentor Book, New York 1965.

ÉGYPTE PHARAONIQUE

Grimal, Nicolas
HISTOIRE DE L'ÉGYPTE ANCIENNE. Fayard, Paris 1988.

Lalouette, Claire
L'EMPIRE DES RAMSÈS. Fayard, Paris 1985.

Lalouette, Claire
THÈBES OU LA NAISSANCE D'UN EMPIRE.
Fayard, Paris 1986.

Montet, Pierre
L'ÉGYPTE ÉTERNELLE.
Marabout Université (MU 302), Paris 1970.

Newby, P. H.
WARRIOR PHARAOHS. THE RISE AND FALL OF THE
EGYPTIAN EMPIRE. Faber & Faber, London 1980.

Posener, Georges, Serge Sauneron et Jean Yoyotte
DICTIONNAIRE DE LA CIVILISATION ÉGYPTIENNE.
Fernand Hazan, Paris 1959.

Trigger, Bruce C. (et autres)
ANCIENT EGYPT. A SOCIAL HISTORY.
Cambridge University Press, Cambridge 1983.

MÉSOPOTAMIE (SUMER, BABYLONE, Ashur)

Amiet, Pierre
LES CIVILISATIONS ANTIQUES DU PROCHE-ORIENT.
Que sais-je No. 185, PUF, Paris 1971.

Arnaud, D.
LE PROCHE-ORIENT ANCIEN. DE L'INVENTION DE
L'ÉCRITURE À L'HELLÉNISATION.
Collection Études Supérieures, Bordas, Paris 1970.

Contenau, Dr. G.
LA CIVILISATION D'ASSUR ET DE BABYLONE.
Payot, Paris 1951

Olmstead, A. T.
HISTORY OF ASSYRIA.
University of Chicago Press, Chicago (1923), 1968.

Oppenheim, A. Leo
LA MÉSOPOTAMIE, PORTRAIT D'UNE CIVILISATION.
Gallimard, Paris 1970.

Saggs, H. W. F.
THE GREATNESS THAT WAS BABYLON.
A Mentor Book, New York et Toronto 1962.

Strommenger, E.
CINQ MILLÉNAIRES D'ART MÉSOPOTAMIEN.
Flammarion, Paris 1964.

Vieyra, M.
LES ASSYRIENS. Éditions du Seuil, Paris 1965.

SYRIE-PALESTINE

Culican, William
THE FIRST MERCHANT VENTURERS.
Thames and Hudson, London 1966.

de Vaux, Roland
LES INSTITUTIONS DE L'ANCIEN TESTAMENT.
2 volumes, Éditions du Cerf, Paris 1958 -1960.

Finkelstein, Israël
THE ARCHAEOLOGY OF THE ISRAELITE SETTLEMENT.
Israel Exploration Society, Jérusalem 1988.

Gras, M., P. Rouillard et J. Teixidor
L'UNIVERS PHÉNICIEN. Arthaud, Paris 1989

Lods, Adophe
ISRAEL. DES ORIGINES AU MILIEU DU VIIIe SIÈCLE
AVANT NOTRE ÈRE.
Coll. L'Évolution de l'Humanité, A. Michel, Paris (1930) 1965.

Mosacati, Sabatino
LES PHÉNICIENS. Marabout Université (MU 303), 1971.

Negev, Avraham (éditeur)
THE ARCHAEOLOGICAL ENCYCLOPEDIA OF THE
HOLY LAND. Thomas Nelson Publishers, New York 1986.

AUTRES: HITTITES, PERSES...

Bittel, Kurt
LES HITTITES. Gallimard, Paris 1976.

Girshman, R.
IRAN. Penguin Books, Harmondsworth, England 1978.

Gurney, O. R.
THE HITTITES.
Penguin Books, Harmondsworth, England 1964.

Hicks, Jim
LES BÂTISSEURS D'EMPIRES.
Collection: Les origines de l'Homme, Éditions Time-Life, 1978.

Hicks, Jim
LES PERSES.
Collection: Les origines de l'Homme, Éditions Time-Life 1979.

Olmstead, A. T.
HISTORY OF THE PERSIAN EMPIRE.
The University of Chicago Press, Chicago 1966.

Palou, Chr. et J.
   LA PERSE ANTIQUE. Que sais-je No. 979, PUF, Paris 1962.

Velikovsky, I.
   PEOPLES OF THE SEA. Doubleday, New York 1977.

LES SOCIÉTÉS DU PROCHE - ORIENT III
SOCIÉTÉ, ÉCONOMIE ET CULTURE

1. ÉCONOMIE ET SOCIÉTÉ

Il n'est pas toujours possible de reconstituer le détail quotidien de la vie économique et sociale des sociétés proche-orientales anciennes, surtout pour les périodes les plus éloignées. Lorsque la documentation n'est pas totalement muette sur les individus et leurs activités, elle est par contre trop souvent parcellaire pour nous permettre une histoire économique et sociale exhaustive.

Dans cette dernière partie de notre survol du Proche-Orient ancien, nous allons donc porter notre attention sur deux sociétés particulières: l'Égypte des pharaons et Babylone (surtout à l'époque de la première moitié du IIe millénaire). Dans le premier cas, un tableau d'ensemble est possible dans la mesure où les transformations socio-économiques du pays à travers les millénaires sont relativement minimes et influent peu sur une présentation synthèse de la situation. Dans le second cas, la Mésopotamie de Babylone I est assez bien documentée grâce, entre autres, au Code d'Hammourapi ainsi qu'à une foule de lettres officielles et de documents économiques provenant de cette époque. Cette fois les détails abondent et l'image sociale et économique de Babylone durant les années 1800 - 1500 se présentent assez clairement à nous.

A) L'ÉGYPTE DES PHARAONS

À regarder les scènes en relief et les peintures qui couvrent les monuments de la vallée, à lire les textes et les inscriptions officielles du pays, on ne peut s'empêcher d'être saisi par l'impression que tout, en Égypte, *part de* et *revient vers* le pharaon. Comme si cette société ne comportait que deux éléments sociaux distincts: d'une part le pharaon, le *Maître des Deux Terres*, et de l'autre, la population égyptienne, indistinctement au service de la divinité incarnée en *Roi de Haute et de Basse Égypte*.

Cette vision dualiste de la société égyptienne relève davantage de la doctrine du pouvoir pharaonique que de la réalité; elle camoufle la complexité réelle des rapports sociaux qui unissent ou opposent ses diverses composantes. Un premier indice de cette complexité apparaît pourtant clairement à l'analyse de le place qu'occupent les individus dans les divers secteurs de production ainsi que dans les processus de redistribution de la richesse. C'est ainsi que nous pouvons dégager les deux classes sociales principales qui caractérisent la société égyptienne: d'un côté, les masses paysannes; et de l'autre, ceux qui composent ce que nous appellerons la *Classe-État*.

À l'origine, les groupes humains de la vallée du Nil étaient répartis et organisés en communautés villageoises. La propriété de la terre était collective et chaque individu participait de cette propriété en tant que membre de sa communauté. Avec le développement des chefferies locales et, ultimement, du pouvoir pharaonique, les communautés locales ont perdu leur autonomie au profit d'un pouvoir politique et religieux supérieur. Dès lors, grâce à son intervention directe dans le processus de production agricole, le pharaon s'imposa comme propriétaire juridique de toutes les terres du pays. Il devint le "grand gestionnaire" de la production, en accaparant le contrôle de la terre (les cadastres), de l'eau (travaux d'irrigation, de drainage, de construction et de maintien des bassins d'eau de réserve), de la fertilité humaine, animale et agraire (par le rituel et le culte). En contrepartie de cette perte d'autonomie des communautés paysannes, les services rendus par le pharaon assurèrent aux paysans la redistribution équitable des terres après la crue; il garantit et facilita l'accessibilité de tous à l'eau pour la production agricole; il accumula et centralisa les réserves en grain pour faire face aux pénuries et aux famines (fonction biologique du pouvoir); il régularisa les rapports des hommes avec le monde des dieux et fournit une protection adéquate du territoire contre d'éventuelles incursions.

Si, d'un côté, nous pouvons identifier un rapport de complémentarité entre les devoirs de l'État pharaonique et les besoins des communautés villageoises, de l'autre, s'est développé un système de distribution inégale de la richesse produite, au profit des non-producteurs: le pharaon et les membres de la *Classe-État*[1].

Comme nous l'avons déjà souligné, le pharaon n'est en mesure d'exercer les nombreuses tâches concentrées entre ses mains qu'en les déléguant, en tout ou en partie, à de "grands fonctionnaires", ceux-là même que les textes des premières dynasties qualifient de *Shemsou-Hor*, c'est-à-dire *Serviteurs d'Horus*. D'abord issus du milieu familial royal[2] puis, se constituant en un groupe autonome, ces grands fonctionnaires sont devenus les principaux bénéficiaires du contrôle exercé

---

1. C'est-à-dire ceux qui, par leurs fonctions dans l'État, en arrivent à se constituer en classe sociale dominante.

2. Il s'agit d'une famille élargie, de type clanique, et comprenant divers groupes parentaux liés au pharaon.

par l'État sur les divers secteurs d'activité économique du pays. Et ce contrôle dépassait largement le secteur primaire, c'est-à-dire celui de l'agriculture. À partir du moment où l'État monopolisa la quête et l'utilisation des matières premières, qu'il organisa les expéditions vers les mines et les carrières, qu'il initia les circuits commerciaux (à l'intérieur du pays et vers l'extérieur), et qu'il concentra et disposa des surplus agricoles, ceux qui géraient l'État acquirent ipso facto le contrôle sur toutes les sources de la richesse au pays.

Ainsi, en vertu des tâches de l'État et suite à l'importance des diverses fonctions administratives qui en découlaient, les éléments de la classe dominante en arrivèrent à se fragmenter en deux grands groupes d'intérêts relativement autonomes: d'une part, les grands commis "civils" de l'État, c'est-à-dire les grands fonctionnaires liés à l'administration centrale du palais et ceux oeuvrant au niveau des provinces; d'autres part, les grands prêtres des principaux clergés du pays, principalement celui de la divinité d'État, Rê ou Amon, selon les périodes de l'histoire. Au Nouvel Empire[1], s'est ajoutée une troisième "fraction" dominante: l'armée.

Jusqu'à l'époque de la domination des Hyksôs (1648 - 1540), l'Égypte ne possédait pas d'armée permanente. Lorsque les besoins imposaient une intervention militaire importante, l'État procédait à une levée de troupes, composées essentiellement de paysans encadrés par un groupe restreint de soldats de métier. Or, avec la reconquête du pays contre les Hyksôs et la politique expansionniste qui suivit, il fallut constituer et maintenir une armée terrestre et navale permanente et bien entraînée. C'est grâce à elle que, par la suite, la suprématie de l'Égypte fut assurée tant en Nubie et au Koush que du côté de l'Asie occidentale ancienne. Dans ces circons-

---

1. De la XVIIIe à la XXe dynastie, 1540 - 1085.

tances, l'armée devint une source de richesses nouvelles, grâce au butin qu'elle tirait de ses victoires ainsi qu'aux tributs qui, annuellement, venaient gonfler les coffres de l'État.

En retour, le pharaon se montra généreux et contribua, en distribuant honneurs, terres et biens matériels, à la création d'une nouvelle fraction dominante: celle des chefs militaires. Il arriva même que le pharaon, comme ce fut le cas avec Touthmosis III, prit l'habitude de choisir certains de ses grands fonctionnaires civils et religieux parmi les officiers des forces armées. Cette émergence des militaires dans la structure sociale de l'Égypte n'allait pas sans occasionner, à long terme, des répercussions politiques considérables.

La seconde fraction de la *Classe-État*, celle regroupant les grands clergés, mérite notre attention, en particulier à cause de l'importance politique et économique du clergé d'Amon de Karnak. Centre de la religion d'État et siège du dieu suprême du panthéon égyptien, Karnak devait apporter à son clergé prestige et richesse. Nous n'entrerons pas dans les détails de cette longue ascension que connurent Amon et son clergé depuis les tout débuts du Moyen Empire; nous n'insisterons pas davantage sur les intrigues politiques qui valurent aux *Grands Prophètes*[1] de ce clergé une position de choix au pays, surtout à partir du règne d'Hatschepsout (1483 - 1462). Il importe, cependant, de signaler que c'est l'expansionnisme égyptien du Nouvel Empire qui lui assura les bases matérielles de ses ambitions politiques.

En effet, la doctrine pharaonique voulait que toutes les victoires du chef de l'État soient l'expression de la volonté expresse et du concours direct d'Amon, le père divin du pharaon. C'est donc par "gratitude filiale" qu'il versait au clergé

---

1. Selon l'expression égyptienne.

de Karnak une part importante du butin de guerre et des tributs payés par les États conquis ou ceux qui reconnaissaient l'hégémonie de l'Égypte. En outre, le pharaon lui octroya l'usufruit de terres immenses afin que les membres du clergé puissent subvenir à leurs besoins ainsi qu'à ceux du dieu qu'ils servaient. À long terme, même si la puissance des clergés était assez bien contrôlée par le pharaon[1], celui d'Amon se constitua en une sorte d'État dans l'État.

C'est essentiellement en réaction à cette menace envers le pouvoir pharaonique qu'Amenhotep IV se lança dans l'aventure amarnienne, appuyé par la fraction civile de l'administration: il changea alors son nom en Akhénaton puis, quitta la capitale de Thèbes pour Akhétaton, une ville créée de toute pièce et située plus au Nord, loin de la proximité du temple de Karnak; il s'attaqua ensuite aux grands cultes du pays, principalement à celui d'Amon, tout en imposant celui du dieu Aton, une version plus abstraite du dieu Amon.

La victoire politique d'Akhénaton ne fut que de courte durée: la situation intérieure se détériora rapidement alors qu'à l'étranger, l'Empire s'écroulait par pans entiers[2]. La restauration qui suivit, à partir du court règne de Toutankhamon (1341- 1332), replaça le clergé d'Amon dans ses "droits historiques". Dans un premier temps, les grands-prêtres s'allièrent à l'armée; ils permirent au général Horemheb de prendre la couronne et acceptèrent ensuite qu'il la transmette à un autre général, le futur Ramsès Ier[3]. Dans un second temps,

---

1. Les clergés dépendaient normalement de l'administration centrale.

2. Akhénaton était trop préoccupé par "la question religieuse" pour suivre et répondre adéquatement aux événements qui bouleversaient son Empire, en particulier les ambitions hittites en Syrie. C'est grâce au général Horemheb que l'Égypte put conserver une certaine présence en Palestine.

3. Ce dernier deviendra le fondateur de la XIXe dynastie (1303 - 1200).

durant la XXe dynastie (1200 - 1085), le clergé de Karnak acquit une autonomie politique et économique de plus en plus considérable dans la partie Sud du pays. Finalement, les grands-prêtres d'Amon en arrivèrent à usurper partiellement le pouvoir, partageant alors l'exploitation du pays avec les faibles pharaons de la XXIe dynastie (1085 - 950), dont la capitale était située dans le Delta, à Tanis.

On associe facilement les fonctionnaires de l'État aux scribes dont les musées nous montrent les statues, telles celles du Caire et du Louvre, ou à ceux que l'on voit dans les scènes des tombes, calame et papyrus à la main: ici, ils mesurent une surface cultivée; là, ils enregistrent et comptent les sacs de grain livrés aux greniers royaux ou prennent des notes sur le déroulement d'une quelconque expédition. La réalité est moins uniforme et force nous est de constater que *ceux qui savent écrire et lire* ne forment pas un ensemble homogène. Les hauts fonctionnaires, donc ceux qui exercent le pouvoir au nom du pharaon, représentent la première fraction de la *Classe-État*.

Du vizir aux gouverneurs des provinces, ces grands personnages jouissent d'un prestige et de privilèges qu'ils tirent de leurs fonctions supérieures dans l'État. En théorie, ils sont les serviteurs du pharaon. Durant l'Ancien Empire, c'est lui qui les choisit et les nomme et leur fonction sont révocables[1]. Dans la pratique, la recherche de stabilité du pouvoir l'a emporté sur la prudence. Peu à peu, le pharaon a renouvelé les mandats; il a en outre accordé l'hérédité des fonctions; il a distribué des terres et des richesses de toutes sortes en échange des loyaux services de ses administrateurs; il s'agira de tombes (en tout ou en partie), de statues, de ma-

---

1. Par exemple, au début de l'Ancien Empire, les gouverneurs locaux étaient nommés pour un temps déterminé, après quoi ils étaient mutés ailleurs.

tières premières, et même de biens de luxe fabriqués par les artisans royaux.

Ainsi, au fil des siècles, ces grands fonctionnaires consolidèrent leurs positions; en devenant propriétaires réels de grands domaines agricoles[1], ils se transformèrent en une véritable aristocratie. Il s'ensuivit que le pouvoir politique du pharaon et, par conséquent, de l'État s'en trouva affaibli au point où certains gouverneurs locaux en arrivèrent à accaparer pour eux-mêmes les attributs et les éléments du pouvoir monarchique. Combiné à d'autres problèmes, telles de mauvaises crues, une série de rois incapables ou des pressions extérieures, ce phénomène contribua largement à la désintégration partielle ou totale du système pharaonique. Ainsi l'histoire du pays est-elle soumise à une sorte de mouvement de balancier où, entre les périodes de centralisation[2], s'intercalent celles du morcellement de l'État au profit de dynastes locaux et des conquérants étrangers[3].

Hautement bureaucratisé, l'État pharaonique n'aurait pu fonctionner adéquatement sans les milliers de petits fonctionnaires et de scribes qui constituaient l'épine dorsale du système. Selon leur position dans la hiérarchie administrative, leurs privilèges et leur rémunération pouvaient varier de façon substantielle. Mais, la plupart du temps, ce sont de

---

1. Même si le pharaon demeure théoriquement propriétaire de tout ce qui se trouve dans la vallée, il accorde des dotations en terre dont la première étape est l'utilisation, par le fonctionnaire ou le temple, de l'usufruit, après imposition. La seconde est l'exemption d'impôt. La troisième est l'hérédité de la terre et la possibilité, pour son propriétaire réel, de la céder ou de la louer à volonté.

2. Correspondant à l'Ancien Empire, au Moyen Empire, au Nouvel Empire et à la Restauration saïte.

3. Grandes familles locales, clergés et même des groupes étrangers, tels les tribus nomades sémites, les Hyksôs, les Éthiopiens, les Libous puis, les Empires extérieurs (assyrien, perse, grec, romain, byzantin).

simples gratte-papiers, fiers malgré tout de leur fonction et de la maîtrise de leur *art* (l'écriture). Certains d'entre eux, cependant, réussissent à gravir les échelons de l'administration royale ou sacerdotale et accèdent, ainsi, aux plus hautes charges de l'État ou des temples. Comme c'est le cas pour les grands fonctionnaires, la tendance à l'hérédité de la charge est de règle et il n'est pas rare de trouver des scribes exerçant leur métier de père en fils sur plusieurs générations.

La concentration entre les mains de l'État de toutes les activités économiques du pays n'a pas été sans effet sur le monde des artisans. Ils sont donc à l'oeuvre là où se trouve la richesse et les matières premières, c'est-à-dire dans les ateliers royaux, ceux des temples, ainsi qu'au service de certains grands fonctionnaires. Il en va de même pour le commerce: là également, peu ou pas d'initiative privée. Certes, de petits bazars semblent exister dans les agglomérations les plus importantes, mais leurs activités mercantiles sont limitées par l'absence de monnaie et par le monopole qu'exerce l'État sur les matières premières et le commerce extérieur.

Quant à la main-d'oeuvre servile, il faut souligner que la présence dans la vallée du Nil d'une vaste population corvéable n'était pas pour en favoriser le développement. En fait, que ce soit pour les grands travaux agricoles ou pour les travaux publics (construction de palais, de tombes royales ou de temples), le système de la corvée permettait au pharaon d'exploiter, au besoin et gratuitement, le temps de travail des paysans. Malgré tout, les expéditions punitives ainsi que les guerres ont fourni, à travers les siècles[1], des prisonniers assimilables au statut d'esclave. Leur nombre est par contre toujours limité et nous ne connaissons pas d'Égyptien ayant été réduit en esclavage pour dette ou autre. Il est donc erroné

---

1. Surtout à l'époque du Nouvel Empire.

d'assimiler les masses paysannes à cette catégorie peu présente en Égypte.

B) BABYLONE I (1894 - 1595)

En faisant abstraction de certaines spécificités propres à telle ou telle société de Mésopotamie ainsi qu'aux variations qui apparaissent au cours des siècles, le portrait économique et social qui se dégage de Babylone au Second millénaire peut servir de point de référence.

La société babylonienne à l'époque d'Hammourapi et de ses successeurs se caractérise par la suprématie des structures de l'État sur les cités du territoire ainsi que sur les communautés agricoles qui s'y rattachent. Grâce à une administration très développée et fortement hiérarchisée, l'État contrôle directement ou indirectement l'ensemble des activités économiques du pays. D'abord, en tant que grand propriétaire terrien et autorité suprême sur les temples, il s'assure une large part de la production agricole. Ensuite, il accapare une partie substantielle des surplus produits par les communautés paysannes via les impôts en nature et le droit de corvée. Par le contrôle qu'il exerce sur les prix de certains biens et services, l'État peut régulariser les échanges internes, tout en uniformisant les pratiques économiques à travers les diverses régions de l'Empire. Enfin, il porte une attention particulière au commerce à long rayon d'action, vers les contrées éloignées.

Au IIe millénaire, l'agriculture demeurait toujours l'activité économique de base, même si la production artisanale occupait une place de plus en plus grande. Or, malgré la haute productivité des sols, les travaux agricoles nécessitaient beaucoup de temps et de travail. À la différence de l'Égypte où la crue arrive juste avant le début de la saison agricole[1], en Mésopotamie, celles du Tigre et de l'Euphrate se produisent à un très mauvais moment pour les agriculteurs. Elles inondent les terres entre les mois d'avril et de juin, en dehors des périodes agricoles. Des efforts considérables devaient donc être déployés afin d'amener l'eau nécessaire aux lopins de terre, au moment précis où les besoins se faisaient sentir; ce travail était surtout réalisé à l'aide de canaux qu'il fallait continuellement nettoyer ou restaurer après la crue. Qui plus est, à cause d'une forte évaporation liée au climat très chaud de la région, la plaine sumérienne était continuellement menacée par une augmentation de la salinité des sols[2]. À l'époque sumérienne, des villes sont même abandonnées à cause de la perte de la qualité de leurs sols agricoles. Sous Hammourapi, il devint donc nécessaire de creuser un grand canal Nord-Sud, à travers la plaine de Sumer, afin de redonner à cette dernière sa productivité perdue.

Même si à l'époque, la propriété privée de la terre semble connaître une certaine extension[3], l'État continue toujours d'assurer un rôle de premier plan dans ce secteur prioritaire de la production. L'irrigation et le drainage faisaient l'objet d'un contrôle étatique constant. À cet effet, les gouverneurs provinciaux devaient tenir le palais au courant de l'état des canaux et réclamer l'aide nécessaire pour la réalisation des travaux touchant leur réparation, leur amélioration ou même leur extension. À ce niveau, peu ou pas d'initiative de la part

---

1. C'est au début de juin que l'eau commence à monter dans la région d'Assouan et environ trois semaines plus tard à la hauteur de la pointe du Delta.

2. L'eau des fleuves comprend nécessairement une certaine quantité de sels minéraux. Avec l'irrigation, une partie de cette eau est absorbée par les plantes et une autre par le sol. Avec l'évaporation, les sels se déposent dans le sol de sorte qu'au bout de plusieurs siècles, la terre devient impropre à la culture.

3. L'installation des Amorites ne semble pas étrangère à ce phénomène.

des fonctionnaires: le roi doit être informé des besoins et c'est lui qui ordonne les mesures à prendre. De cette surveillance dépendaient la rentabilité des domaines royaux et des temples ainsi que l'importance des impôts touchant les autres propriétaires de domaines et les communes villageoises.

Quant à la propriété de la terre, elle était partagée entre le roi, les temples, les grands fonctionnaires, de grands propriétaires indépendants, de petits particuliers, et les communes villageoises. La proportion réelle de la distribution de cette propriété demeure malheureusement très difficile à établir. Deux faits sont toutefois assurés: d'abord, la proportion semble varier d'une cité à l'autre en faveur soit du palais, soit des temples; ensuite, la propriété privée paraît plus étendue qu'aux époques précédentes.

Quoi qu'il en soit, par le biais des travaux hydrologiques et de la fiscalité, l'État continue d'exercer sur elle un contrôle indirect. À l'occasion, on le voit même intervenir dans les affaires familiales pour régler des litiges concernant une succession ou un partage de terres. Pour ce qui est des temples, le règne d'Hammourapi se caractérise par une tendance marquée vers la sécularisation. Il est possible que le roi, en s'occupant personnellement des nominations affectant les hauts postes cléricaux, tentait de s'emparer des activités économiques des institutions religieuses au profit du palais.

À en juger par les nombreuses références dans la documentation de l'époque, il est clair que la terre agricole, les vergers et les forêts du Zagros faisaient également l'objet d'une réglementation minutieuse de la part de l'État. Il semble même que les palmeraies-dattiers, les jardins à légumes, la production de la laine et l'élevage du bétail constituaient des monopoles royaux.

Le contrôle des prix et des salaires par l'État ne constitue pas un phénomène propre aux États modernes. La pratique existait déjà en Mésopotamie et représente un des aspects les plus intéressants de la vie économique d'alors. Même si la documentation est par trop incomplète pour répondre à toutes nos questions, les éléments que nous possédons nous permettent de constater l'ancienneté de cette pratique de fixation des prix et salaires par décrets royaux. Un premier document nous vient de la Cité de Lagash, daté de 2400 environ. Il s'agit des Réformes d'Urukagina dans lequel le roi prévoit une révision assez complète des prix et des salaires; le roi-réformateur vise à régulariser les échanges et à mettre fin à l'exploitation de la population, poussée à l'excès sous ses deux prédécesseurs. Plus tard, vers 1900 à Eshnunna, ces mesures prennent l'aspect d'une véritable politique étatique. Non seulement le prix de divers produits est alors déterminé avec précision[1], mais il en va de même pour la location de certains moyens de transport[2], le salaire d'un ouvrier agricole au moment de la récolte, le coût de location d'un âne ou les taux d'intérêts de l'argent prêté.

En son genre, le code d'Hammourapi dépasse largement celui de ses prédécesseurs. Non seulement se préoccupe-t-il des questions économiques, mais il aborde directement un ensemble de sujets concernant les rapports sociaux et juridiques des individus. Comme il s'agit d'une approche de type *Common Law*, c'est-à-dire de la présentation de toute une série de situations concrètes[3], le document s'avère une mine

---

1. C'est le cas pour l'orge, les huiles, le lard, la laine, le sel, le cuivre.

2. Par exemple, la location d'un char avec ses boeufs et son conducteur, sur une base journalière; ou encore, celle d'un navire, en relation avec sa capacité, et la même unité de temps.

3. "Si telle situation se produit, telle mesure doit être prise..."

de renseignements précis sur les règles régissant la vie des individus en société.

L'organisation sociale babylonienne était structurée autour de trois pôles principaux: le palais, le temple, la commune villageoise. Ceux qui dirigeaient et géraient ces trois institutions formaient la *Classe-État* de la société: c'est elle qui contrôlait concrètement les moyens de production et qui bénéficiait largement de la distribution inégale de la richesse accumulée par la fiscalité, par la gestion de la production artisanale et du commerce. L'ensemble de la population, constituée essentiellement de producteurs agricoles, formait la main-d'oeuvre que les trois institutions pouvaient utiliser à volonté. À ce niveau, les rapports entre les deux classes sociales principales de Babylone se rapprochent de la situation qui prévaut en Égypte: un premier rapport de complémentarité entre les éléments de la *Classe-État* et les producteurs (échange de services) et un rapport d'exploitation, en faveur des premiers.

Cependant, si les deux classes principales sont assez nettement définies, il existait entre elles plusieurs autres catégories sociales qui s'articulaient autour d'elles. Par exemple, un fonctionnaire royal qui bénéficiait de l'usufruit d'une terre royale comme forme de rémunération pouvait exploiter le travail de fermiers à qui il louait des lopins de terre. Ou cet autre, où un simple bailleur d'une terre royale avait la possibilité d'engager des ouvriers agricoles afin de le seconder au moment des récoltes: ces aides pouvaient être des hommes libres, des débiteurs, des esclaves ou même des prisonniers de guerre. Pour leur part, les militaires recevaient une terre royale pour leur entretien et, compte tenu de l'importance de leur rôle, ils jouissaient d'un traitement particulier quant à l'utilisation de cette terre. En effet, ils avaient la possibilité de la laisser en friche pour une période de trois ans, sans perte de leur droit de possession, si leur service les réclamait au loin; après quoi le palais reprenait possession de la terre. Dans le cas des autres possesseurs, colons, fonctionnaires ou hommes de métier travaillant pour l'État, la perte de leur droit était immédiate. De plus, le soldat pouvait léguer la terre à son fils si ce dernier assumait la fonction militaire de son père. L'ensemble de ces mesures visait, évidemment, à la consolidation des forces militaires dont Hammourapi et ses successeurs eurent un si grand besoin dans la création puis, la défense de leur empire.

Tout comme en Égypte, une foule de personnes se trouvaient rattachées au palais et aux temples en tant que fonctionnaires subalternes, fermiers, pêcheurs, oiseleurs, ouvriers, artisans ou artistes. Pour leur survie, ils dépendaient de leur "employeur" qui, en échange de leurs services, leur accordait un lopin de terre.

Dans les villes, fleurit un petit commerce lié à la production artisanale, permettant l'enrichissement d'une sorte de classe moyenne, à laquelle on peut également rattacher les commerçants. Travaillant pour le compte de l'État, les *tamkarum* illustrent clairement comment peuvent s'articuler à Babylone les fonctions étatiques et certains intérêts privés. En effet, ces commerçants vendent et achètent pour les besoins du palais ou des temples[1], mais en même temps, ils en profitent pour tirer des bénéfices personnels des transactions qu'ils initient. À partir du moment où ils s'impliquent dans le financement des opérations commerciales, leur rôle de banquier favorisa certainement le renforcement de leur position économique et sociale.

---

1. On les voit impliqués dans le commerce du grain, du vin, du bois, des textiles, des métaux, des matériaux de construction et du bétail.

L'esclavage est également un fait mésopotamien. Non seulement le phénomène touche-t-il les prisonniers de guerre[1], mais il implique également des Babyloniens. Par exemple, un débiteur pouvait vendre sa femme ou ses enfants afin de payer ses dettes, alors qu'un autre pouvait racheter ces mêmes dettes en acceptant le statut d'esclave pour une période de trois ans; après quoi, il redevenait un homme libre. Si l'esclave est considéré comme un bien meuble et qu'il fait même l'objet d'un commerce, il possède cependant des droits bien établis dans le Code et jouit de la protection de l'État. Par exemple, son propriétaire ne peut exercer un droit de vie ou de mort sur lui, comme c'est le cas chez les Hittites; lorsqu'il est malade, son maître est tenu de le faire soigner. Il peut posséder des biens et se marier. Un esclave peut même épouser une femme libre et les enfants qui naissent de cette union sont considérés comme libres. Ainsi, à travers ces règles établies par la loi, nous constatons une certaine volonté de la part de l'État de trouver un moyen terme entre l'institution esclavagiste qui est acceptée comme telle et la reconnaissance de l'esclave comme être humain.

2. LA CITÉ MÉSOPOTAMIENNE

S'il est un phénomène qui caractérise de façon particulière la civilisation mésopotamienne et, par extension, celle de l'ensemble de l'Asie occidentale ancienne, c'est bien l'agglomération urbaine. Grâce au travail acharné des archéologues, un nombre impressionnant de villes nous sont aujourd'hui connues, alors que d'aussi nombreux sites identifiés attendent encore de livrer leurs précieux secrets.

---

1. À l'origine, le mot sumérien pour désigner l'esclave est celui d'*étranger*.

Dans la terminologie sumérienne et akkadienne, c'est le même mot qui sert à désigner le village et la cité. Ce fait linguistique est intéressant parce qu'il confirme l'idée que le développement historique des premières cités ne se réalisa aucunement en discontinuité avec les communautés villageoises existantes; certaines d'entre elles se transformèrent plutôt en centres administratifs, religieux et économiques abritant les grandes institutions supérieures des collectivités: les temples puis le palais, coeur des États-Cités.

Sur le plan matériel et architectural, l'élément distinctif de l'urbanisme proche-oriental (à l'exception de l'Égypte) demeure la présence des murailles. Ces dernières englobent les édifices du pouvoir, ainsi qu'une zone habitée de "citoyens", généralement dépendants du roi et des clergés. Afin de caractériser les éléments typiques d'une cité, nous allons prendre l'un des exemples les mieux connus, à savoir: la ville sumérienne d'Ur III, l'une des glorieuses capitales de la fin du IIIe millénaire. Le site est aujourd'hui formé d'un *tell*, c'est-à-dire d'un monticule constitué des ruines des villes que se sont succédé sur place depuis l'époque du Néolithique. Sa superficie totale est d'environ un kilomètre sur 500 mètres.

Comme le montre la figure 10, la cité se compose de trois parties principales: le téménos[1], la zone des habitations et les ports intérieurs. En venant de la campagne, le regard du voyageur qui s'approchait de la ville était immédiatement attiré par une structure pyramidale à étages qui paraissait s'élancer vers le ciel. Située dans la partie Nord-Ouest de la ville, la ziggurat dominait tous les autres édifices et marquait bien l'importance de la divinité titulaire de la ville. À Ur, c'est Nannar, dieu de la Lune, qui était propriétaire divin de la cité. La ziggurat se dressait à l'intérieur d'un téménos,

---

1. Mot d'origine grecque qui signifie *territoire sacré, dédié à une divinité.*

dont le niveau était légèrement plus élevé que celui du reste de la ville; ce secteur possédait sa propre enceinte et comprenait un ensemble architectural complexe composé de plusieurs temples. À l'époque du roi Ur-Nammu (2113 - 2096), l'enceinte faisait 215 mètres sur 172 et était percée de six portes. Quant à la ziggurat, elle était entièrement construite de briques crues et s'élevait, en trois étages, à quelque 25 mètres de hauteur.

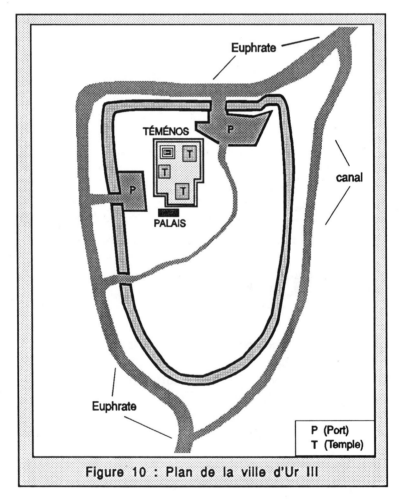

Figure 10 : Plan de la ville d'Ur III

Des arbres avaient été plantés sur la plate-forme du premier étage, constituant l'ancêtre de ce que seront plus tard, au Ier millénaire, les fameux jardins "suspendus" de Babylone. Sur le sommet de la structure reposait un petit sanctuaire d'une pièce: c'est là que se retiraient le dieu Nannar et son épouse Ningal.

Des entrepôts et des bureaux recevaient et géraient les offrandes faites par les citoyens au dieu ainsi que les impôts qui provenaient des fermiers dépendants du temple. L'on peut facilement imaginer les paysans transportant leurs sacs de grain dans la grande cour qui s'ouvrait devant la ziggurat, attendus par les scribes, tablettes et stylet à la main; et plus loin, des juges écoutant les détails d'un quelconque litige, les tablettes de leur code de loi placées près d'eux, dans des paniers de joncs. Il n'est donc pas étonnant que cette partie de la ville ait toujours été considérée comme sacrée, servant de point d'attraction et jouissant d'un grand prestige auprès des habitants de l'État-Cité.

Le palais où résidait le roi s'élevait au Sud du téménos, en dehors de l'enceinte sacrée. On y trouvait là aussi des entrepôts et des bureaux où une multitude de fonctionnaires veillaient à la bonne marche des affaires courantes.

Le reste de la partie intérieure de la ville comprenait les habitations, tassées les unes sur les autres dans un désordre apparent qui rappelle celui des vieilles villes arabes. La circulation était difficile à travers les ruelles étroites et, tout comme cela se produit encore aujourd'hui, les activités quotidiennes des habitants se déroulaient surtout à l'intérieur de la demeure dont le centre névralgique était une cour ouverte.

Le tracé de la muraille d'Ur III était oblong. Du côté Ouest, elle longeait l'Euphrate tandis qu'au Nord et à l'Est, elle suivait un important canal qui partait du fleuve au Nord et le rejoignait au Sud, au-delà de la ville. Ainsi, Ur se trouvait pratiquement entourée d'eau, à la manière d'une île. Quant aux dimensions de l'ouvrage défensif, elles sont une excellente indication de l'importance de la ville: construite de briques crues, la muraille s'élevait parfois jusqu'à huit mètres environ et la façade de son côté extérieur était légèrement oblique. Deux ports intérieurs assuraient la protection des navires de la ville; un canal traversait cette dernière et permettait de passer facilement de l'un à l'autre.

Il est vrai qu'à travers l'histoire et selon les régions de l'Asie occidentale ancienne, on observe des variations, parfois importantes d'une cité à l'autre. Le plan d'une ville peut être circulaire ou carré; elle possède parfois une citadelle, comme c'est le cas des grandes villes militaires assyriennes du Ier millénaire; certaines renferment une zone cultivable à l'intérieur des murs afin de soutenir de longs sièges. Ninive était même alimentée en eau potable grâce à un long canal qui la reliait aux sources des montagnes.

3. PROCESSUS DE CONNAISSANCE ET IMAGINAIRE[1]

Dans le traité égypto-hittite, conclu entre Ramsès II et Hattusilis III en 1269 avant notre ère, les deux parties font appel à leurs divinités respectives afin de valider leur propre entente:

---

1. Dans cette partie, notre approche sera essentiellement illutrée par l'Égypte pharaonique.

Pour tous ces mots du traité fait par le grand chef du Khatti avec Ramsès Méri-Amon, le grand régent de l'Égypte (...) mille dieux, mâles et femelles de ceux du pays du Khatti, avec mille dieux, mâles et femelles de ceux du pays d'Égypte, ils sont avec moi comme témoins de ces mots.

Et plus loin dans le document, une clause prévoit l'intervention de ces *mille dieux* contre quiconque n'observerait pas les prescriptions prévues. Ainsi, au terme de plusieurs décennies de conflits armés pour le contrôle de la Syrie-Palestine, les deux grandes puissances de l'époque en arrivent à une entente diplomatique, réalisée cependant aux deux niveaux que comprend le Monde chez les anciens Proche-Orientaux: l'univers des hommes et l'univers des dieux.

Or, dans cette entente, cet univers des dieux constitue un élément aussi présent et aussi actif que celui des hommes. Chacun d'eux jouit d'une autonomie qui lui est propre, tout en agissant sur l'autre. Voilà le point central de la conception du monde qui prévaut dans les sociétés du Proche-Orient et qui sert de point de départ et d'appui aux divers volets de la pensée et de la connaissance: philosophie (cosmogonie, cosmologie, métaphysique[1]), religion (cultes et rituels, panthéon) et sciences. Dans les pages qui vont suivre, nous allons tenter de saisir la façon de penser des Anciens, c'est-à-dire leurs modalités intellectuelles et idéologiques de contact avec le réel. Ce faisant, nous pourrons dégager toute la rationalité qu'elles présupposent ainsi que l'articulation et la cohérence qui fondent la vision des anciens sur l'Homme et le Monde dans lequel il évolue.

---

1. La cosmogonie s'intéresse aux origines de l'univers, la cosmologie aux lois le régissant et la métaphysique au processus de la connaissance.

Pour les anciens Proche-Orientaux, la Nature dans son ensemble forme un tout homogène, composé d'êtres "vivants", à la manière des êtres humains: plantes, animaux, terre, eau, astres, objets, matière, phénomènes climatiques, émotions, activités psychiques, etc. Chaque élément de l'univers est donc perçu comme ayant sa personnalité propre, mais participant au même système. L'on ne fait pas de distinction entre êtres animés et êtres inanimés, pas plus qu'entre la réalité objective et l'idée subjective que l'on s'en fait. Prenons, pour fin d'exemple, une expression encore couramment utilisée de nos jours: *le soleil se couche ou se lève à telle ou telle heure.*

Nous savons tous qu'en réalité, la terre tourne sur elle-même et que notre planète évolue autour du soleil, ce qui cause le phénomène de la succession des jours et des nuits. Pour les Égyptiens, la réalité est celle qui est perçue: le soleil est un être vivant qui naît le matin, qui ensuite prend force et monte dans le ciel, et qui, en fin de journée, se retire pour entreprendre son voyage nocturne. Il en va de même pour les rêves et les cauchemars. Ce qui se passe alors dans le cerveau constitue une réalité en soi, totalement autonome et indépendante de l'humain[1]. Dans le domaine de l'agriculture, l'approche est du même ordre: le grain pousse parce que le pharaon agit sur les forces de la nature, telles celles qui expriment et procurent la vie.

Ainsi, la façon de penser des Égyptiens se distingue-t-elle de la nôtre d'abord et avant tout parce qu'elle ne saisit le réel que subjectivement, jamais comme un objet en soi, possédant ses lois propres. Par exemple, dans le processus de la métallurgie, la transformation du minerai en métal (or, argent ou autre) n'est pas, pour les Égyptiens, le fait de la fusion à

---

1. Les "images" des rêves et des cauchemars sont ainsi considérées comme des messages en provenance de l'autre univers, celui des dieux.

haute température, mais plutôt le résultat d'une action "magique" réalisée lorsque le minerai est chauffé. Les Égyptiens n'établissent pas le rapport direct qui existe entre chaleur et fusion. Leur approche est essentiellement empirique[1]: les artisans ont appris que le processus fonctionnait en chauffant le métal, mais ils ignorent ce qui se passe: la réaction physique relève du mystère ou de l'action magique parce que non perceptible empiriquement. Pour être davantage précis, il faut ajouter que l'action magique appartient au monde des "forces de la nature", c'est-à-dire participe de l'univers des dieux.

Dans ce mode de pensée, la "fusion" entre symbole et réalité est totale. D'où l'importance capitale et le rôle particulier des représentations (signes hiéroglyphiques, dessins, peintures, reliefs et sculptures) dans toutes les sphères d'activités intellectuelles. Selon les anciens Égyptiens, le principe est le suivant: comme il n'y a pas de distinction de nature entre l'objet et sa représentation, cette dernière possède une vie propre qui peut servir de "remplacement" au premier. Dans le domaine de la religion funéraire, par exemple, la préservation du corps était essentielle pour assurer la vie dans l'au-delà. Cependant, très tôt les Égyptiens ont constaté que les tombes étaient pillées et que les profanateurs détruisaient les momies afin d'en retirer les parrures. La disparition du corps équivalait à une seconde mort, pire que la première, puisque sans corps, c'est l'entité même qui disparaissait pour l'éternité.

C'est ainsi qu'apparurent les statues de remplacement et les scènes en relief. Ces deux éléments connurent ensuite un développement particulier. Dans le premier cas, l'on ajouta des statuettes afin de représenter tous les membres de la

---

1. Le savoir tout comme la méthode.

famille ainsi que des serviteurs et des artisans; la présence de ces derniers allait permettre aux défunts de jouir des mêmes "services" que durant leur vie terrestre. Plus tard, au Nouvel Empire, c'est par centaines que l'on incluera dans les tombes ces petites statuettes de faience bleue (en forme de momie) que l'on nomme *shouabti*, mot qui vient du verbe égyptien *wèshèb* et qui signifie *répondre de.*

Quant aux scènes en relief, elles vont connaître un développement remarquable. Les unes vont directement servir au culte funéraire lui-même: par exemple, les scènes du repas funéraire où le défunt et son épouse sont assis devant une table bien garnie assurent l'alimentation pour l'éternité; il y a également ces représentations en image de divers types d'aliments (poisson, volaille, oiseaux sauvages, pièces de boeuf, boisson, fruits et légumes) et dont le rôle est de remplacer, à long terme, les offrandes réelles qui devaient être faites par les descendants des personnes défuntes. Certaines autres jouent un rôle actif dans la "reconstitution" de la vie de l'au-delà: c'est ainsi qu'un fonctionnaire qui fut, par exemple, responsable de la production artisanale dans les ateliers royaux, verra à couvrir les parois intérieures de sa tombe des scènes montrant le détail des activités qu'il gérait; ou encore, il s'assurera de loisirs agréables pour l'éternité (chasse, pêche, jeux de société, festivités, etc.) en incluant ces scènes dans sa *maison d'éternité.* Notons que le matériel funéraire (vêtements, mobilier, objets et outils de toutes sortes) remplissent exactement les mêmes fonctions.

Mais cette approche subjectiviste du monde va encore plus loin. Elle se manifeste de façon particulière à travers le fait de nommer les choses et les êtres. Toujours dans le cadre de cette fusion du symbole et du réel, le *nom* acquiert une vie propre qui agit même sur l'objet nommé. Par exemple, nommer une chose, c'est lui donner vie: une pratique courante de l'Ancien et du Moyen Empire consistait à écrire la liste des aliments nécessaires aux défunts dans l'au-delà. Elle était en outre accompagnée d'une exhortation au passant de lire le texte en question afin que les défunts puissent trouver la nourriture dont ils avaient besoin.

Cependant, cette action magique du *nom* ne se limite pas à donner la vie: elle peut aussi occasionner la mort. À la XIIe dynastie, l'Égypte était aux prises, sur la frontière orientale du Delta, avec des populations sémitiques turbulentes. Non seulement l'État y construisit une série de forteresses afin de protéger son territoire, mais l'on utilisa également la *magie du nom* pour se débarrasser des tribus menaçantes: pour ce faire, des scribes écrivaient sur des vases ou des assiettes en argile le nom des groupes impliqués puis, on brisait les objets. En fracassant le nom des ennemis visés, les Égyptiens croyaient éliminer les ennemis eux-mêmes. C'est le même phénomène qui préside à l'éradication des représentations du nom d'un personnage qui couvrent les monuments qu'il a construits (tombe, temples ou autres): le cas de la reine Hatschepsout est un exemple classique où, voulant effacer toute mémoire de la reine, le parti de Touthmosis III s'en prit à l'usurpatrice et tenta de la priver de son existence même en effaçant systématiquement son nom des cartouches.

Les divers cultes journaliers relèvent également du même système de pensée. Le temple est la demeure réelle de la divinité et cette dernière, représentée par une statue, vit un quotidien semblable à celui des humains: elle se lève le matin, fait sa toilette, mange, participe aux activités cultuelles reliées aux tâches qui lui sont propres, intervient dans l'ordre du monde, se repose, reçoit les demandes des humains, etc. De cette conception "concrète" du divin découle l'organisation matérielle des temples qui doivent ainsi subvenir aux besoins "concrets" des divinités qui les habitent.

Pour les Anciens, le monde est donc constitué d'éléments vivants, perçus comme des sujets actifs (et non comme des objets régis par les lois de la nature). Dans ce contexte, il est compréhensible qu'ils aient tenté de répondre à leur questionnement existentiel non par une recherche de ces lois, mais plutôt par la pensée mythique, en racontant les faits et gestes de ces mêmes sujets. C'est ainsi que les mythes sur la création mettent en scène des "acteurs" qui, par leurs actions, servent à raconter l'origine de chaque chose et les rapports qui les lient. Ces mythes constituent ainsi des explications cohérentes sur la nature de l'univers et sur la place qu'y occupe l'Homme.

Or, ces explications ne sont pas neutres, en ce sens qu'elles ne font pas abstraction de la réalité historique dans laquelle elles se développent et s'imposent en tant que vision du monde (univers et société) faisant l'objet d'un certain consensus. La suprématie du pharaon dans l'univers des hommes possède son pendant dans l'univers des dieux, celui-ci étant jusqu'à un certain point le reflet de la société du premier. C'est sur cette base que les rapports entre les deux univers ont été structurés en Égypte par le biais d'une filiation entre le dieu solaire, Rê ou Amon, et le chef de l'État. Le pharaon est le fils du dieu et gère le monde par lui, avec lui et pour lui. En même temps, le processus participe à la sacralisation du pouvoir politique de sorte le système monarchique est devenu pratiquement inattaquable sans la remise en question de ses fondements philosophiques.

Pour ce faire, il aurait également fallu remettre en question le processus même de la connaissance des anciens Égyptiens. Or, ce dernier est limité par une approche essentiellement empirique, expérimentale et spontanée de la Nature. Les diverses connaissances s'accumulent à travers les expériences de la vie quotidienne. Ainsi, les démarches "scientifiques" et "techniques" ne sont jamais isolées des processus concrets (travail et production). Par exemple, les mathématiques ne sont jamais abordées ni étudiées comme telles, en tant que processus de calcul; elles sont plutôt liées à des problèmes concrets à résoudre[1]: (1) les mesures agricoles (cadastre et surface des terres, nombre et volume des sacs de grain, comptabilité et fiscalité); (2) celles liées à la construction des édifices (niveau, pente, volume); (3) enfin, les mesures astronomiques, pour les besoins cultuels. Il s'ensuit un instrument mathématique fort complexe qui, en Égypte, réduit les multiplications et les divisions à des additions ou des soustractions. Il en va de même avec le système des fractions.

De façon générale, ce que nous venons de décrire pour l'Égypte des pharaons s'appliquent pour le reste du Proche-Orient ancien. Il n'est donc pas étonnant que l'évolution de la pensée et les changements technologiques aient été aussi lents durant ces longs millénaires qui précèdent les premiers balbutiements de la pensée scientifique en Occident. Il faut donc attendre la révolution scientifique amorcée par Thalès de Milet au VIIIe siècle avant notre ère avant que l'Univers puisse être abordé selon sa nature propre[2].

Malgré cette lenteur toute relative, il n'en demeure pas moins vrai que les sociétés du Proche-Orient ancien ont réussi, grâce aux connaissances accumulées et aux diverses techniques, à atteindre un haut niveau d'efficacité. Pour vraiment en saisir l'ampleur réelle, il faut mettre de côté cette notion de progrès liée aux changements technologiques qui domine

---

1. Pour déterminer la pente d'un pyramide, l'on ne part pas d'une équation trigonométrique mais d'un exemple concret d'un situation déjà existante et l'on procède ensuite aux ajustements de calcul qui s'imposent. C'est d'ailleurs ce matériel empirique que les scribes qui "se lancent" en architecture étudient en classe.

2. Caractérisée par le passage de la méthode empirique aux modèles explicatifs théoriques.

largement notre monde contemporain et qui considère pé-
rimé et dépassé tout ce qui existait *hier*. Or, l'Égypte pharaonique[1] est une société fort complexe et son degré d'efficacité
technique ne laisse aucun doute. Que ce soit l'hydrologie,
l'architecture monumentale, la métallurgie et les nombreux
secteurs de l'artisanat, des transports, de l'extraction des pierres et du minerai, la technologie égyptienne est intervenue
largement et efficacement sur son environnement nilotique;
elle a assuré l'éclosion et la pérennité plusieurs fois millénaire de l'une des plus brillantes civilisations.

Mais à côté de ce domaine des "sciences empiriques" et des
technologies qui, en fait, relèvent des sciences de la Nature,
les Égyptiens ont également fait état de l'univers des hommes. Qu'en était-il, par exemple, de ce que *nous appelons*
l'histoire et la *géographie*? En abordant le sujet de la documentation, nous avons déjà parlé des listes royales, des chroniques, des biographies et des annales. Pour les Égyptiens, la
rédaction de ces textes et inscriptions s'intègre dans un ensemble de besoins qui relèvent d'une conception essentiellement statique de l'histoire. Ces documents visent à assurer
le maintien de l'Ordre du monde, tel que créé à l'origine,
que ce soit par l'action du pharaon (racontée avec éclat) ou
via le culte funéraire (seul moyen efficace permettant à
l'Homme d'atteindre sa finalité: la vie éternelle). Ainsi,
l'Homme n'agit adéquatement sur le monde que dans la mesure où il respecte les règles établies par les dieux et toute
histoire se veut représentation de cette vision.

La géographie, pour sa part, implique une connaissance du
milieu, de l'environnement. Or, pour l'administration étatique,
ces connaissances étaient très importantes. Elles impliquaient
non seulement la géographie du pays (en rapport avec ses

---

1. Tout comme les autres communautés de l'Asie occidentale ancienne.

ressources naturelles), mais également celle des régions limitrophes du Sud et de l'Asie occidentale ancienne. Ainsi, les scribes produisirent-ils des cartes, des listes topographiques ainsi que des descriptions détaillées des lieux visités ou occupés par les Égyptiens, tout comme des populations s'y trouvant. Ces connaissances, par contre, n'avaient de valeur que dans la mesure où elles servaient aux besoins économiques et politiques de l'État; il ne peut donc pas être question ici d'un savoir pour lui-même, découlant de la simple curiosité.

GUIDE DE LECTURE

Collectif d'auteurs
ANCIENT MESOPOTAMIA. SOCIO-ECONOMIC HISTORY.
Nauka Publishing House, Moscou 1969.

Bonhême, Marie-France et Annie Forgeau
PHARAON. LES SECRETS DU POUVOIR.
Armand Colin, Paris 1988.

Bottéro, Jean
MÉSOPOTAMIE. L'ÉCRITURE, LA RAISON ET LES
DIEUX. Éditions Gallimard, Paris 1987.

Dentan, Robert C. (éditeur)
THE IDEA OF HISTORY IN THE ANCIENT NEAR EAST.
A Yale Paperbound, Yale University Press, 1955.

Frankfort, Henri
BEFORE PHILOSOPHY.
Penguin Books, Harmondsworth, England, 1963.

Frankfort, Henri
LA ROYAUTÉ ET LES DIEUX. Payot, Paris 1951.

LISTE DES TABLEAUX, DES FIGURES ET DES CARTES

LES TABLEAUX

LES FIGURES

LES CARTES

INDEX GÉNÉRAL

TABLE DES MATIÈRES

CET OUVRAGE
COMPOSÉ EN DUTCH CORPS 11
A ÉTÉ ACHEVÉ D'IMPRIMER
LE SEIZE FÉVRIER
MIL NEUF CENT QUATRE-VINGT-QUINZE
PAR LES TRAVAILLEURS ET LES TRAVAILLEUSES
DES PRESSES DE L'IMPRIMERIE GAGNÉ
À LOUISEVILLE
POUR LE COMPTE DE
VLB ÉDITEUR.

IMPRIMÉ AU QUÉBEC (CANADA)